à la découverte des antiquités québécoises

La photographie de la couverture
a été prise chez l'antiquaire Jean Lacasse
à Montréal.

Éditeurs:
LES ÉDITIONS LA PRESSE, LTÉE
7, rue Saint-Jacques
Montréal H2Y 1K9

Maquette de la couverture:
JEAN PROVENCHER

Photographie de la couverture:
MARC CRAMER

Photographie de l'auteur
au dos de la couverture:
MICHEL GRAVEL

Photographies:
TAMAS POSFAI, R. A. CLAYTON

Conception graphique des
pages-photos en noir et blanc:
MICHEL GENEST

Conception graphique des
pages-photos en couleurs:
JEAN PROVENCHER

1ère réédition: 1978

Dépôt légal:
BIBLIOTHÈQUE NATIONALE DU QUÉBEC
1er trimestre 1976
ISBN 0-7777-0129-4

stéphane moissan

à la découverte des antiquités québécoises

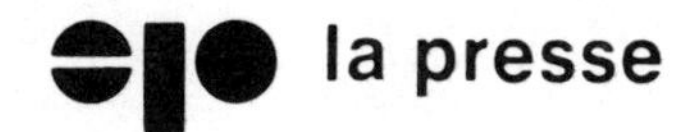

Remerciements

Pour mener à bon port pareille entreprise, il va sans dire que la collaboration enthousiaste de nombreuses personnes est nécessaire. C'est pourquoi je suis reconnaissante à tous ceux qui m'ont aidée de leurs précieux conseils. Plus particulièrement Eric McLean, critique musical du *Montreal Star* et collectionneur averti, Robert-Lionel Séguin, ethnologue et professeur à l'Université du Québec aux Trois-Rivières, qui s'est toujours intéressé à notre culture populaire et qui m'a aidée à en découvrir plusieurs côtés enrichissants, Laurent Lamy, décorateur, critique d'art et concepteur du Pavillon québécois à Terre des Hommes 1974, des antiquaires consciencieux, comme MM. Drinkwater et Rivard, de Hudson, M. et Mme Duclos, du Vieux-Laprairie, pour leur amicale sympathie, tous les collectionneurs rencontrés et plus particulièrement Michel Sainte-Marie, de Montréal, et Émile Pellerin, des Trois-Rivières, Thérèse Latour, conservateur en ethnologie, attachée au ministère des Affaires culturelles au Musée du Québec.

Sincères remerciements à tous ceux qui ont bien voulu subir mes questions et mes nombreux appels et visites. De plus, j'exprime ma reconnaissance à quelques amis, qui se reconnaîtront sans que je les nomme, pour l'intérêt qu'ils ont pris à mon travail en m'apportant une collaboration soutenue et plusieurs éléments susceptibles d'éclairer davantage ceux qui s'intéressent à notre patrimoine.

S.M.

TABLE DES MATIÈRES

À Roxane et Frédéric

Les antiquités offrent aux générations futures un retour tangible aux sources du passé.

« C'est aujourd'hui un phénomène universel qu'en prenant conscience des forces de son passé, l'homme apprend à se mieux connaître, à faire face à l'avenir, à créer du nouveau et à enrichir les autres. Un peuple qui ne fait pas l'inventaire de son patrimoine perd son caractère propre. Il perd sa dignité et sa raison de vivre. Les civilisations qui ont survécu ne sont-elles pas justement celles qui ont puisé aux sources vives de leurs traditions et qui ont reconnu avec fierté la noblesse de leur passé? »

— JEAN PALARDY,
Avant-propos,
Les Meubles anciens du Canada français.

Préface

Méconnus et dédaignés pendant un siècle au moins, meubles et antiquités du Québec prennent aujourd'hui leur revanche. Pourchassés, traqués jusque dans les greniers les plus reculés de la Province, devenus proie à atteindre et à acquérir à n'importe quel prix, ils suscitent souvent plus que de l'intérêt: de véritables passions. C'est pour mettre un peu d'ordre dans cette fringale et pour mieux conserver ce qui mérite de l'être que Stéphane Moissan publie *À la découverte des antiquités québécoises* qui répond aux besoins réels de l'amateur-consommateur.

La recherche d'identité, le charme nostalgique des choses anciennes, le refus de la nouveauté, la consécration de la réussite sociale, l'absence de risque au plan esthétique, poussent certains amateurs vers les objets du passé. Il n'est cependant pas de domaine qui soit chargé d'autant d'ambiguïtés et de rationalisations suspectes que ce goût de l'ancien. Ce que ces objets possèdent de qualités valables de toute éternité est généralement ignoré, alors que la franchise, l'ingéniosité, l'invention, la cohérence entre la forme et la fonction y sont du même ordre que dans le bon design d'aujourd'hui. En fait, ce sont les formes d'art contemporaines — aussi bien en peinture, sculpture, théâtre, design — qui devraient, de façon toute naturelle, introduire à l'art du passé puisque le présent contient inévitablement le passé. Inversement, le détour par le passé devrait nous aider à comprendre le présent, à en saisir les forces vives et les promesses d'avenir. Sans cela, le goût des choses d'autrefois n'est qu'évasion et démission. En appeler à la créativité qui appartient en propre à ces objets demeure lettre morte si ces mêmes objets ne s'inscrivent pas dans un environnement actuel qui possède les mêmes qualités esthétiques qu'eux.

Le collectionneur véritable qui se passionne pour les objets les plus remarquables du passé devrait être aussi capable de sélectionner, parmi les objets actuels, ceux qui deviendront les antiquités de demain!

Est-ce que le choix de l'objet ne devrait pas relever d'une éthique résolument contemporaine, fondée sur un goût bien formé, dans lequel les oppositions entre ancien et moderne, travail à la main et objet manufacturé, formes utiles et œuvres d'art, ont perdu tout leur sens?

Laurent Lamy
Critique d'art et professeur de design

Introduction

Depuis quelques années, collectionner les antiquités a pris pour certains l'allure d'une véritable passion. On commence par acheter une armoire ou un coffre et, insensiblement, petit à petit, on se découvre une âme de collectionneur.

On doit quand même distinguer les collectionneurs. Il y a ceux qui achètent pour revendre aussitôt ou ceux qui investissent dans les meubles anciens comme ils le feraient dans les tableaux ou à la Bourse. Mais, plus nombreux sans doute, il y a ceux qui s'entourent de ces vieux meubles simplement parce qu'ils les aiment.

Ce collectionneur ne recherche pas forcément la pièce de musée, il est heureux de ses trouvailles et, avec le temps, en vient à visiter les antiquaires plus souvent, avec moins d'appréhension. Il fouille tous les coins et recoins de nos campagnes. Il apprivoise lentement toute cette richesse. Il se met à décaper lui-même ses nouvelles acquisitions et en retire une fierté peu commune.

Mais devant ce renouveau d'intérêt pour nos vieux meubles, il y a certaines personnes peu scrupuleuses qui ont voulu en profiter.

Les antiquaires consciencieux déplorent cette situation et croient que le gouvernement du Québec devrait s'intéresser davantage à notre patrimoine. M. Paul-Louis Martin, directeur du Musée d'archéologie de l'Est du Québec, est d'avis qu'il est urgent de susciter chez les revendeurs une prise de conscience de la valeur du patrimoine matériel et d'amener le gouvernement à dégager les crédits nécessaires pour rendre enfin opérante la Loi sur les biens culturels.[1]

Alors, comment distinguer le vrai du faux? Comment savoir si le prix demandé n'est pas trop élevé?

La difficulté majeure de l'amateur-collectionneur est peut-être de repérer les antiquaires sérieux.

C'est ce que veut faire ce guide. Ni didactique, ni exhaustif, il n'a d'autre prétention que celle d'aider les amateurs et collectionneurs à mieux connaître les antiquaires de tous les coins de la province et à apprendre d'eux certaines choses essentielles ou simplement utiles.

---

1. Le 30 octobre 1974, le président de la Commission des biens culturels, M. Georges-Émile Lapalme, constatait à regret, dans son rapport annuel déposé à l'Assemblée nationale, que le gouvernement fédéral fait souvent plus que celui du Québec pour assurer la préservation et la restauration du patrimoine.

Les conseils donnés dans ce guide, de même que les informations, s'adressent surtout aux débutants.

Ce qu'on trouve dans le guide:

— Comment tirer le meilleur parti d'un vieux meuble.
— Comment connaître et reconnaître les principaux styles et éléments des articles.
— Comment reconnaître la différence entre copie, imitation, reproduction.
— Comment se renseigner sur le marché des meubles et objets anciens.
— Comment vérifier l'authenticité de la pièce achetée.
— Comment remettre des meubles en bon état.
— Comment commencer ou continuer une collection.
— Comment se familiariser avec les meubles et articles anciens.
— Comment dénicher les antiquaires à travers la province.
— Principaux marchés, foires, encans et expositions.
— Revues à consulter.
— Bibliographie.

CHAPITRE I

Connaître les antiquaires

« L'expérience est encore le meilleur des maîtres avec cet avantage qu'elle donne des leçons particulières. »

« Un homme averti en vaut deux. »

Le métier d'antiquaire, aussi curieux que cela paraisse, n'existe que depuis un peu plus d'un siècle. Le véritable antiquaire recherche dans les vestiges du passé les caractéristiques de fabrication qui lui sont propres, son style et son histoire. Il est en même temps un chercheur animé du désir profond de posséder l'objet convoité. Il ressemble un peu à un chasseur de gibier rare. L'antiquaire professionnel se trouve particulièrement dans les grands centres, les villes importantes. Souvent, en plus d'être lui-même un collectionneur passionné, il est érudit, heureux de découvrir ce que des objets de collection ne dévoilent pas toujours. L'exclusivité, la qualité des objets en boutique font que les prix plus élevés lui conservent une certaine clientèle d'habitués ou d'amateurs collectionneurs raffinés et choisis. Collectionneurs et antiquités sont complémentaires, l'un n'existant pas sans l'autre.

Les antiquités n'existent que par la connaissance et l'amour des amateurs. Elles ont donc un passé historique passionnant.

Mais comment différencier le véritable antiquaire du simple commerçant ou de l'amateur semi-professionnel? Souvent le néophyte est bien embarrassé pour distinguer l'antiquaire sérieux du brocanteur beau parleur qui affirme avec assurance posséder une pièce inestimable.

Dans leur *Encyclopédie des antiquités du Québec*[1], Michel Lessard et Huguette Marquis divisent les antiquaires en trois catégories: « Les spécialistes professionnels qui ne vendent que les vestiges du temps passé (...) de fabrication artisanale très soignée (...) et très représentatifs d'un artisan, d'un style, d'une époque (...) Le second, qualifié « gros acheteur » (...) possède son propre magasin et des entrepôts qu'une armée de glaneurs professionnels (pickers) approvisionne régulièrement. Cet antiquaire accumule des stocks qui seront ensuite revendus

1. Éditions de l'Homme, vol. 2. Chap. *Les Antiquaires et leurs sources d'approvisionnement,* p. 59-60.

à des particuliers, mis en marché dans diverses petites boutiques ou exportés par camions aux États-Unis. La troisième catégorie, la plus connue, groupe tous ces semi-professionnels ou même professionnels qui profitent de la saison estivale ou des week-ends de citadins. On les retrouve dans les quartiers historiques, comme le vieux Québec, dans les banlieues des grandes villes ou à la campagne. Approvisionnés par encans ou rabatteurs professionnels, ils offrent un éventail d'objets allant du fer à repasser au fauteuil de style (...) Enfin on souligne que certains amateurs, n'ayant pas pignon sur rue, offrent quelques pièces intéressantes (...) Certains sous-sols ou certaines pièces d'appartement demeurent des lieux où plus d'un amateur va se découvrir une vocation d'antiquaire un jour ou l'autre. »

Mais à mesure que s'accroît l'importance de l'antiquaire, ses connaissances et son goût le poussent plus particulièrement vers un domaine donné. C'est pourquoi les connaisseurs en viennent à savoir qu'il sera probablement plus facile de trouver chez un tel antiquaire un morceau de style déterminé, sans trop s'inquiéter au sujet de son authenticité, car ces antiquaires spécialistes ont acquis une grande autorité et deviennent souvent des experts.

Il existe diverses spécialisations, moins nombreuses toutefois qu'en Europe, mais il est bon de savoir qu'on ne trouve pas uniquement des meubles anciens chez les spécialistes. Plusieurs ont aussi des objets de famille, des bijoux antiques, des poteries, faïences et céramiques, des armes, des poupées, des étains et cuivres, des vieux tableaux et des curiosités de tous genres.

Généralement, dans chacune de ces spécialités, les professionnels cherchent et découvrent des objets à vendre. Ils les étudient, les classent, les comparent, cherchent à connaître leur histoire. C'est souvent l'œil et le flair d'un grand antiquaire qui détermine la valeur d'un objet. Cela explique pourquoi parfois on retrouve telle poterie ou petite table quatre fois plus cher chez un grand antiquaire que chez le semi-professionnel où on l'avait vue quelques mois auparavant.

Ce n'est pas l'objet qui a changé, mais le non-spécialisé n'avait vu là qu'une pièce belle et intéressante et la vendait au prix courant, alors que le spécialiste, avec ses connaissances plus approfondies a reconnu l'origine exacte du morceau. Il sait si ce dernier est rare et s'il le vendra facilement à sa clientèle. C'est pourquoi, à moins de ne s'adresser qu'aux plus grands antiquaires, il importe d'acquérir certaines connaissances. On peut se consoler en se disant qu'il faut toute une vie pour devenir un antiquaire avisé.

Mais le débutant ne doit pas se décourager, ni s'irriter de ces incidents qui font partie du plaisir de collectionner. Il trouvera rapidement les voies à éviter. Il apprendra aussi, au fil des conversations avec les antiquaires, que le grand marchand n'est pas forcément le plus riche, ni le plus impressionnant, ni celui qui a le plus beau magasin, mais celui qui est un véritable connaisseur et qui aime les objets qu'il vend.

Un petit conseil en passant: un objet isolé d'une collection jouit d'une valeur certaine et cet objet, même modeste, est une valeur sûre.

En 1967, on a créé l'Association des antiquaires du Canada pour protéger les collectionneurs et les acheteurs.

L'emblème du castor doré dans la vitrine d'un magasin signifie que le client peut acheter en toute confiance, que sa facture portera une description exacte de l'article acheté. Il signifie aussi que l'antiquaire doit respecter le client. Au Québec peu d'antiquaires sont membres de cette Association (ce qui ne veut pas dire que les antiquaires québécois ne soient pas honnêtes). On trouvera plus loin dans cet ouvrage la liste des antiquaires membres.

MARCHÉS AUX PUCES

Dans toutes les grandes villes et dans certains villages, des marchands de bric-à-brac, des chiffonniers s'établissent ici et là et exposent leur marchandise.

Qu'il s'agisse de grands ou de petits marchés, le principe reste le même: la vente d'objets et de meubles d'occasion, de ferraille et de tout ce que l'on peut imaginer. De tels marchés n'offrent pas généralement des meubles et objets très raffinés, ils se spécialisent plutôt dans un éventail de marchandise d'occasion. Bien des gens aiment visiter ces marchés et l'entassement des objets hétéroclites ne fait qu'augmenter leur plaisir de la découverte et du marchandage.

Pour apprendre à faire de bons achats, il convient de connaître certains systèmes et habitudes de ces marchands qu'on appelle brocanteurs ou petits spécialistes. Contrairement aux boutiques d'antiquaires, les marchés aux puces ne sont pas ouverts à date fixe, à longueur d'année. Les marchands profitent de leur temps de fermeture pour recueillir la marchandise aux sources les moins coûteuses. Ils vont chez des particuliers, à la campagne et visitent les fermes pour vider caves et greniers. De cette façon, ils achètent un bagage d'objets dont certains seulement les intéressent. Ceux qui ne les intéressent pas, ils essaieront de les revendre à d'autres marchands en échange d'objets qu'ils recherchent. Certains de ces marchands ont un sens très développé du commerce et savent à l'avance si leurs achats attireront la clientèle ou non.

Ce qu'il y a d'intéressant pour ces marchands, c'est souvent de se mettre à la recherche de poterie, céramique, d'objets hétéroclites qui échappent à une spécialité.

Certains marchés aux puces savent bien exploiter ou même lancer des engouements pour des objets anciens. Si la qualité de la marchandise et le choix sont inférieurs à ce que l'on trouve dans des boutiques de professionnels, il n'en reste pas moins que plusieurs collectionneurs s'y approvisionnent, car les prix sont toujours inférieurs à ceux des antiquaires établis.

D'autres marchés, moins connus, peuvent paraître sans intérêt mais, attention! on y trouve des choses souvent pittoresques, bon marché et des occasions véritables. Il est donc préférable de se donner un peu de mal pour chercher un objet insolite dans un de ces marchés plutôt que d'aller chez un professionnel qui l'aura peut-être lui-même pris là, quelque temps auparavant.

On trouve aussi des meubles anciens, mais aussi des copies, et des chaises qui peuvent souvent être réparées ou restaurées.

LES VENTES AUX ENCHÈRES (Encans)

Les ventes aux enchères ou encans sont toujours très pittoresques. Les connaisseurs consultent les journaux régionaux où sont particulièrement annoncés ces événements. On y trouve un mélange de toutes sortes de choses, plus ou moins intéressantes, mais il peut arriver aussi — et c'est le côté passionnant de ces ventes — qu'on y découvre un meuble ou un objet d'art québécois, ou d'inspiration québécoise, à un prix très raisonnable. C'est d'ailleurs de cette façon que plusieurs collectionneurs amateurs, et très souvent les antiquaires professionnels, ramassent les pièces québécoises, les souvenirs, les objets rares qui traînent dans le grenier ou une pièce de la maison du propriétaire qui vient de mourir et dont la famille ne veut rien garder.

Eric McLean, dont la très belle maison (Louis-Joseph Papineau), rue Bonsecours, est remplie de magnifiques meubles anciens, avoue ne consacrer qu'une infime partie de son budget à la restauration de pièces coûteuses et préfère plutôt courir les encans. Il a déjà eu la chance, il y a quelques années il est vrai, d'acheter pour moins de $100 un meuble qui en vaut maintenant plus de $12 000. Ça n'arrive pas tous les jours, il faut en convenir, mais en fréquentant régulièrement les encans et surtout en apprenant à regarder, à comparer, à prendre son temps, on finit toujours par être récompensé de ses efforts — qui deviennent vite un plaisir — et trouver de fort belles choses.

Il faut être bien blasé pour résister longtemps à la fascination d'un encan. Il y règne une atmosphère d'excitation et d'anxiété, les acheteurs éventuels ne sachant jamais jusqu'à quel montant monteront les offres et s'ils sortiront vainqueurs de cette espèce de combat.

Il y a deux sortes d'encans: ceux qui se tiennent généralement dans les villes et les grands centres, et les encans de campagne.

Encans de ville. Il existe dans les villes et les grands centres des maisons reconnues qui vendent elles-mêmes des meubles anciens après les avoir restaurés. Le prix de ces articles est en général très élevé.

Encans de ferme. Il y a également les encans de ferme. Ces derniers sont annoncés dans les quotidiens et les hebdos de province, mais la meilleure source de renseignements reste encore les habitants d'une petite ville ou d'un village qui savent tout ce qui se passe à des milles à la ronde et se font un plaisir de donner ces renseignements. Les objets vendus varient des meubles jusqu'à l'équipement de ferme, outils, etc.

Il y a aussi des encans qui ont lieu dans des granges et où on peut trouver des articles aussi variés qu'insolites. Ils se tiennent à des périodes fixes, déterminées à l'avance, un par mois ou un par semaine. La marchandise vendue provient de sources différentes plutôt que d'un règlement de succession.

Encans particuliers. Dans les petites annonces classées des journaux on trouve régulièrement des antiquités à vendre. En épluchant soigneusement ces annonces et en ayant le courage de se mettre au téléphone et sur la route, on peut trouver des occasions — sinon des aubaines — intéressantes.

Types d'acheteurs. On peut diviser en trois catégories les gens qui s'intéressent aux encans. Tout d'abord, il y a ceux qui recherchent strictement des articles utiles, tels les appareils ménagers, les meubles et les outils, à des prix intéressants. Puis, il y a ceux qui espèrent trouver « la bonne affaire », un meuble signé, une chaise ou une table qu'ils rénoveront ou transformeront même. Enfin, la dernière catégorie englobe les collectionneurs, les antiquaires et les amateurs d'antiquités, toujours à la recherche d'un article rare et précieux. Étant donné la quantité de plus en plus restreinte de pièces authentiques, les collectionneurs et antiquaires savent bien que c'est encore dans les encans qu'ils risquent de trouver les meubles et objets conservés précieusement de génération en génération, jusqu'au moment où le dernier survivant décide de « casser maison ». Et Jean Palardy est d'avis que c'est à ce moment que se font les plus belles découvertes.

Comment obtenir l'objet convoité. Une fois... deux fois... trois fois... adjugé! C'est toujours le même scénario, le même système de l'offre orale — plutôt criée — qu'on retrouve dans les encans.

Les encanteurs présentent les objets, invitent les gens à faire une première offre et déclarent « vendus » les articles pour lesquels l'offre la plus haute est faite et maintenue sans concurrence. Pour le débutant, toute cette mise en scène peut être assez énervante, surtout s'il convoite un meuble ou un objet qu'il craint de perdre. Il ne faut toutefois pas se laisser impressionner par ce climat chargé d'électricité et lancer un chiffre trop élevé, quitte à perdre ce qu'on désire et à retourner dans un autre encan pour, cette fois-ci, être plus chanceux. Ce sont les règles de ce jeu. Dans les encans, on paie comptant et les arrangements pour le transport se font en général assez rapidement.

Critères d'achat. On peut se rendre à un encan avec une idée précise de ce qu'on veut acheter et revenir avec tout autre chose. Mais il ne faut pas acheter pour acheter et s'encombrer de choses inutiles ou inutilisables. Il faut ajouter au prix d'achat le prix de restauration, de transformation, de rembourrage. Il faut donc s'assurer que les articles à restaurer valent au moins le montant à débourser pour la restauration.

Accessoires. On trouve dans les encans des objets de facture artisanale, témoins de la vie passée, tels les moulins à sel, les moules à sucre ou à chandelles, les jarres, bouteilles, cruches, les fers à repasser (qui peuvent servir d'appuie-livres), les pipes, cannes, poupées de plâtre, châles, vieilles robes de dentelle, des anciennes cloches d'école, des crucifix, des encadrements, des miroirs, horloges. Ces articles ne sont pas toujours en bon état. Mais il suffit souvent d'un nettoyage en profondeur, d'un coup de pinceau ou d'un polissage pour leur redonner leur aspect original.

Patience et longueur de temps... Il faut beaucoup fréquenter les encans, discuter avec les encanteurs, avant de devenir connaisseur, de juger d'un coup d'œil ce qui vaut la peine ou ce qui n'est que camelote, mais ça s'apprend et c'est passionnant.

CHAPITRE II

Comment reconnaître les styles

« Le style est comme cristal: sa pureté fait son éclat. »
— VICTOR HUGO

« Nous te ferons, Terre de Québec, lit des résurrections et des mille fulgurances de nos métamorphoses. »
— GASTON MIRON, L'Octobre, 1970.

« Frappante est l'analogie dans la succession des styles; Louis XIII avec ses pointes de diamant, Régence et Louis XIV avec leurs rocailles et chantournements. Vagues qui se produisent à retardement au Canada comme en France, par rapport aux dates de modèles savants. Styles dont le mélange, de part et d'autre, n'exclut pas l'élan créateur. Deux nuances pourtant, dont la seconde s'annonce d'explication plus facile que la première; au début, moindre faveur du décor géométrique populaire (dont on remarque toutefois la présence sur des coffrets de fabrication domestique ou sur des berceaux), à la fin, influence marquée des styles anglais. À quelques différences près, le répertoire du mobilier canadien reproduit celui de son congénère francais. »
— GEORGES-HENRI RIVIÈRE, conservateur en chef du Musée des Arts et Traditions populaires.

Avant d'acheter un meuble ancien, il faut s'armer de patience et aussi se renseigner le plus possible.

Il faut en effet beaucoup de patience pour dénicher ce qui correspond exactement à ses goûts et à ses besoins. Il est assez rare de trouver lors d'une première visite chez un antiquaire exactement ce que l'on cherche. D'ailleurs sait-on très bien ce que l'on cherche? Mais cette quête, souvent fébrile, donne encore plus de prix à la pièce, une fois enfin trouvée.

Il y a les coups de foudre qui sont souvent heureux mais dont il faut quand même se méfier. Voilà pourquoi il est utile, sinon indispensable, d'acquérir quelques connaissances.

Pour ce faire, le livre de Jean Palardy *L'Encyclopédie des meubles anciens du Canada français* est l'instrument tout indiqué.[1] Comme les antiquaires et les collectionneurs avertis le font remarquer, la plupart des acheteurs ne sont pas très renseignés et confondent facilement des termes précis, mais un peu déroutants pour les néophytes. Aussi, est-il essentiel de connaître certains éléments de base pour distinguer un meuble ancien d'un meuble d'époque, une copie d'un original.

Un antiquaire, Jacques Rivard, admet que certaines personnes font des erreurs fort coûteuses, grèvent leur budget pour longtemps et s'imaginent posséder une pièce de collection alors qu'il n'en est rien.

Il ne faut quand même pas tomber dans l'extrême et être obsédé par la crainte de se faire rouler. Une table ou une armoire, avec ou sans lettres de noblesse, restent des meubles fonctionnels qu'on achète, non pas pour les exposer, mais bien pour s'en servir.

Il s'agit tout simplement d'acheter en toute connaissance de cause.

Mais comment s'y retrouver dans tous ces styles?

D'après Jean Palardy, pionnier et véritable missionnaire, on ne doit jamais oublier que les styles, en se succédant, se prolongent et se contaminent les uns les autres. Ce qui nécessairement donne naissance à des meubles bâtards, mais qui peuvent être tout aussi beaux.

Eric McLean, qui habite dans le Vieux-Montréal la maison de Louis-Joseph Papineau, possède un mobilier de salle à manger de style identique à celui ayant appartenu à Papineau. Ce mobilier est de style Sheraton et a été fabriqué au Canada. C'est un exemple de ce que l'on peut appeler un meuble canadien de style Sheraton.

Plusieurs meubles encore en circulation sont d'influences anglaise, hollandaise, américaine. On peut identifier le style de certains meubles par l'époque où ils ont été fabriqués (style victorien, la Régence, etc.)

Il est évident que les meubles fabriqués ici il y a 200 ans portent l'empreinte des artisans, menuisiers, ébénistes qui charriaient avec eux un passé culturel.

Cette culture a continué à se manifester et s'est transmise de génération en génération. Voilà pourquoi certains meubles plus récents (début du siècle) ont des qualités certaines et sont plus abordables que certains meubles plus anciens, véritables pièces de collection.

En faisant la tournée des antiquaires de la province, on trouve encore de splendides armoires, bahuts, coffres. Il suffit d'être aux aguets... et de ne jamais être pressé!

---

1. Jean Palardy, *Les Meubles anciens du Canada français,* Paris, Arts et Métiers graphiques, 1963.

MEUBLE D'ÉPOQUE OU COPIE?

Presque introuvable aujourd'hui, sauf en collection privée ou dans les musées, le meuble d'époque doit avoir été exécuté à l'époque indiquée et, naturellement, dans l'esprit qui le caractérisait. Toujours très coûteux, il ne se dévalue jamais. Aussi, est-il recommandé d'en faire l'acquisition chez un antiquaire reconnu; et s'il doit en payer le prix, qui est élevé, du moins l'acheteur a-t-il la certitude d'acquérir une pièce authentique dont la restauration, souvent nécessaire, respecte fidèlement l'originalité et la tradition.

Les meubles d'époque ne sont pas à la portée de tous. C'est pourquoi, de tout temps, des copies en ont été faites. En conséquence, il est important de savoir distinguer une copie d'un meuble ancien de celle d'un meuble de style.

Il n'est pas rare, du reste, que les copies de meubles anciens, réalisées avec des bois semblables ou apparentés à ceux de l'original, soient d'une très haute qualité. On remarquera que l'assemblage est traditionnel et que l'ébéniste, s'il est professionnel et consciencieux, aura toujours employé les techniques contemporaines, s'efforçant de reproduire le modèle ancien avec exactitude et jusque dans les plus infimes détails.

La reproduction peut être unique ou multiple. Elle se distingue de l'original par son aspect neuf: pas de patine, pas d'usure, les ferrures sont impeccables et il n'y a aucune réparation. Une copie vendue comme telle n'est pas une fraude. Mais attention au vendeur astucieux qui laisse une copie dormir à la belle étoile pendant quelques semaines! La pluie, la neige, le vent patineront le meuble et il suffira d'y donner quelques coups de marteau et le tour sera joué: la copie deviendra une antiquité.

Les amateurs passionnés ne prisent pas beaucoup les reproductions. Il est vrai qu'il leur manque toujours « l'âme », mais elles sont plus accessibles et peuvent être à la fois fonctionnelles et très belles.

LES MEUBLES DE STYLE

Par contre, la technique employée dans la fabrication des copies de meubles de style diffère beaucoup de celle des meubles anciens.

Pour réaliser ces meubles (copies de meubles de style), on a recours aux techniques industrielles contemporaines. Ils sont faits en série en empruntant toutefois les principales caractéristiques du style reproduit.

Il va sans dire que ces meubles n'ont pas de valeur historique et que le temps ne leur en confère aucune. Leur finition et leur solidité souvent douteuses les rendent peu intéressants.

Cependant, des fabricants sérieux offrent un mobilier de style québécois qui répond à un besoin. Ces meubles sont simples et bien construits. Ils ont cependant une parenté assez éloignée avec les authentiques meubles anciens. Une importante industrie de meubles lançait récemment sur le marché deux collections de meubles, l'une d'influence française du XVIIIe siècle, portant la marque de Jean Palardy (O.C.M. Palardy), l'autre composée de reproductions de meubles du XIXe siècle, du Haut-Canada.

L'authenticité a été respectée dans tous les détails de fabrication, la finition du bois et les ferrures. Les détails ont fait l'objet d'une attention spéciale. Dans la collection portant la marque de Jean Palardy, des clous de fer forgé ou taillé ont été utilisés afin de lui garder un caractère authentique. Ces meubles, de style campagnard canadien, sont fabriqués en bois de pin bien sec, alors que les bois durs ont été utilisés pour les pieds des chaises et certaines autres pièces afin d'en accroître la robustesse et la résistance. La finition est telle qu'elle recrée la chaleur du pin des pièces des XVIIIe et XIXe siècles.

Il reste toujours difficile pour l'amateur, et parfois même le collectionneur, de classer tel ou tel meuble dans un style particulier. Ce guide n'est pas une leçon d'histoire; il explore plutôt certaines avenues afin d'aider le profane à mieux s'y retrouver.

Les archives et la signature du meuble n'existant pas, il n'est pas inutile de répéter qu'il faut être extrêmement prudent face à un meuble dont on garantit l'authenticité.

Armés de bons livres et des bonnes adresses fournies par ce livre, on peut arriver à distinguer et à signer les styles et les époques.

On peut être au moins sûr d'une chose quand on achète un meuble ancien: c'est qu'il ne se *démodera* pas. C'est une valeur sûre. On n'a donc pas à se poser la question: qu'est-ce qui est à la mode et qu'est-ce qui ne l'est pas? Tout est à la mode et pas seulement en ce qui concerne les meubles. On trouve chez certains antiquaires des poupées, des vêtements, des ustensiles de cuisine. Nostalgie du passé? Besoin de se replonger peut-être dans une époque que la distance adoucit? Bien malin qui pourrait répondre avec certitude, mais il est certain que de plus en plus de jeunes — et de moins jeunes — se tournent vers les choses du passé, peut-être dans le but de retrouver une identité, peut-être plus gratuitement parce que ces choses sont très belles et qu'il fait bon vivre au milieu d'elles.

TROIS RÈGLES IMPORTANTES

Les spécialistes interrogés résument ainsi les principales règles à suivre pour acheter judicieusement:

- savoir que certains antiquaires ont une réputation établie et n'ont donc aucun intérêt à vendre des meubles quelconques, à des prix soufflés. Ces antiquaires sont en général très prudents;
- s'adresser de préférence à ces antiquaires;
- ne pas se rendre chez l'antiquaire avec l'idée préconçue de « faire une affaire ». Il est rare qu'on se mette à discuter du prix d'une voiture ou d'un réfrigérateur. Pourquoi, dès qu'on met le pied chez l'antiquaire, vouloir tout de suite faire baisser le prix?

Y a-t-il tout de même des cas où il faut marchander? La plupart des antiquaires sérieux répondent « non ». C'est comme si le client mettait en doute leur intégrité et leur honnêteté.

Il arrive cependant que s'établissent des liens d'amitié entre les antiquaires et les clients. Comme on aime les mêmes choses, on peut généralement s'entendre. Dans certains cas, par exemple le manque d'argent liquide pour acheter le meuble dont on rêve, l'antiquaire consent à garder le meuble, moyennant un léger dépôt, ou à recevoir le paiement en plusieurs versements.

BIEN S'INFORMER D'ABORD

Cent ans? Cent cinquante ans? Quand peut-on affirmer, sans risque de se tromper, qu'un meuble entre dans la catégorie des « antiquités »? En général, un meuble doit avoir ses 150 ans bien sonnés pour répondre à cette appellation. Cependant certains meubles échappent à cette loi et, chaque fois, il s'agit d'un cas d'espèce. Il appartient aux antiquaires de fournir l'histoire du meuble concerné.

On trouve souvent de très belles choses et des articles de facture artisanale locale dans les magasins de meubles d'occasion, les encans, les marchés aux puces, à l'Armée du Salut et chez les Disciples d'Emmaüs.

Il arrive qu'on trouve le meuble rare à l'occasion d'une vente de règlement de succession ou d'un encan lorsqu'on « casse maison ».

Une fois attrapé, le virus de la collection des antiquités est incurable. Alors commencent les passionnantes visites des musées et des maisons historiques, les tournées des antiquaires. On conseille même des visites en Ontario et aux États-Unis pour arriver à différencier vraiment les styles et les époques.

Encore une fois, l'ignorance dans ce domaine peut jouer de vilains tours. Par exemple, il existe des meubles, datant de la période 1900-1920, en chêne, de facture industrielle. Si on n'est pas très averti, on peut acheter ce genre de meubles, croyant qu'il s'agit de meubles de facture artisanale.

CHAPITRE III

Comment identifier un vieux meuble

« Qu'on ne s'attende pas à apprendre en une leçon la façon de reconnaître un original d'un faux dans les meubles régionaux canadiens du XVIIe et XVIIIe siècles. Non, cela demande souvent des années d'observation et de familiarisation avec ce genre de meuble. Toutefois l'amateur averti pourra déceler de prime abord si un meuble est bon ou non, souvent même l'examiner de près, sans le scruter en tous sens. Mais il est des cas où il est nécessaire de l'examiner presque au microscope tellement l'illusion est habile. J'ai connu des collectionneurs possédant des meubles canadiens qu'ils croyaient authentiques alors que ces meubles avaient subi tant de restaurations ou de transformations qu'ils n'étaient plus originaux. »

— JEAN PALARDY

CONSEILS PRATIQUES

Vieux bois. On doit examiner scrupuleusement les traits de scie circulaire. Étudier également la surface rude causée par la scie. Si les joints renferment de la colle, on doit être sur ses gardes. Regarder attentivement les façades de tiroirs (remplaçables par de vieux madriers de pin trouvés chez les démolisseurs). Les tiroirs authentiques ont presque toujours des marques, des trous causés par des clous, des taches de rouille ou autres.

Surface des bois anciens. Les meubles fabriqués vers le milieu du XIXe siècle ont une surface bien particulière. On y décèle des marques causées par le rabot manuel, surtout sur les revers où les sillons se remarquent plus facilement.

Plateaux. Pour les plateaux de tables, buffets bas, les menuisiers de l'époque utilisaient des planches de plus d'un pouce d'épaisseur et un bois sans nœuds.

Queues d'aronde. Les véritables queues d'aronde, taillées à la main avec une scie ou un ciseau, ne sont donc jamais symétriques. Les côtés de tiroirs de commodes canadiennes sont généralement garnies d'une énorme queue d'aronde centrale, consolidée d'un clou forgé à la main avec deux demi-queues d'aronde, l'une en haut, l'autre en bas. Les queues ne sont jamais égales. Celles des coffres, par exemple, sont de proportions variées.

Tournage. Dans un ensemble de chaises exécutées par le même artisan, pas une ne sera tournée de la même façon. Chacune aura des variantes.

Fonds de tiroirs. Ils sont toujours faits d'une large planche ou de deux planches jointes. On sentira toujours les sillons du rabot manuel. Même chose pour les fonds d'armoire, de buffets et de commodes.

Portes. Toutes les portes d'armoires et de buffets anciens « battaient », c'est-à-dire qu'elles frappaient, en se refermant, sur les traverses, les montants et le dormant, à l'inverse des portes rentrées à vif du XIXe siècle. Elles exigeaient donc des fiches particulières alors que pour les secondes, les charnières étaient vissées à l'intérieur. Pour savoir avec certitude si les tenons des fiches ont été déplacés ou substitués, on doit se rappeler que les portes aux mêmes dimensions ne pourront s'ajuster avec les tenons des fiches des anciennes mortaises. On aura forcément percé de nouvelles mortaises pour recevoir ces tenons. Tous les meubles traditionnels de menuiserie d'assemblage des XVIIe et XVIIIe siècles sont assemblés à tenons et à mortaises, et chevillés. Les menuisiers taillaient eux-mêmes leurs chevilles avec un ciseau ou une hachette, ce qui les rendait carrées.

Moulures et corniches. Ce n'est qu'au XIXe siècle qu'on commença à utiliser la colle pour les fixer. Avant, elles font invariablement partie intégrante des meubles. Pour vérifier, on peut introduire la lame d'un canif entre la moulure et la traverse ou le montant. Si la lame ne pénètre pas, c'est la preuve qu'il n'y a pas de joint. La corniche moulurée est généralement tellement bien ajustée qu'aucun clou ni vis ne la tient.

Il existe certaines façons d'identifier un vieux meuble. Il faut tout d'abord regarder la ligne générale, les matériaux employés, les techniques utilisées et l'ornementation.

Le merisier, le pin, le noyer, le hêtre et le cèdre sont les bois qu'employaient les menuisiers, ébénistes et artisans pour réaliser les meubles. Jusqu'au XIXe siècle, les bois étaient sciés à la main; ainsi on remarque sur les meubles de ces époques un sillonnement à la surface du bois et les traits de scie qui sont visibles. La surface intérieure des planches ou panneaux est toujours rugueuse.

On doit toujours examiner attentivement l'intérieur d'un meuble qu'on veut acheter. En passant le bout des doigts sous les planches on se rend compte que l'artisan mettait moins de temps pour égaliser les parties non visibles. Les meubles modernes ne portent pas ces marques encore vivantes.

Les assemblages ont aussi leur importance. On distingue l'assemblage à queue d'aronde ou à queue de rat qui était le plus souvent utilisé. Les panneaux des armoires, les dossiers étaient fixés aux montants et aux châssis par de longues vis de bois. Cette technique permettait de démonter et de transporter facilement les meubles qui étaient souvent massifs.

Jusqu'en 1860, il semble qu'on ait utilisé le chevillage de bois dans la plupart du mobilier traditionnel.

Les clous et les vis en disent également long sur un meuble. Les clous des sièges anciens étaient forgés à la main et ont donc un aspect irrégulier. Si les vis sont trop élégantes, attention! Celles qu'on employait étaient plutôt grossières et on les fixait en taraudant un trou dans le bois.

Quant aux pentures utilisées, elles sont en H et en L pour la plupart. On trouve encore des charnières dites « ailes de papillon », datant du XVIIIe et du XIXe siècles, mais elles sont rares.

Un autre bon moyen pour dire l'âge d'un meuble est de bien regarder les serrures. Celles d'époque sont le plus souvent inutilisables et remplacées par des serrures actuelles et on peut voir l'emplacement de la serrure d'origine.

Les faux placages ne sont pas rares. Ils se distinguent de l'original par la finesse et la régularité des lamelles de bois découpées à la machine.

Les fausses sculptures sont facilement reconnaissables car leur saillie est faible par rapport à celles qui étaient fabriquées par les artisans du temps qui travaillaient toujours dans une masse épaisse.

Les meubles de facture artisanale étant plus particulièrement mous comme le pin, le cèdre, ils subissent davantage les traces du temps et l'usure laisse facilement des traces repérables. Tous les endroits exposés au frottement, comme les barreaux de chaise, les coins de table, laissent voir l'usure et permettent de dire à peu près l'âge du meuble.

La couleur du bois est également un autre élément d'identification. Le bois subit une détérioration de couleur. Le bois mou change généralement du blanc au brun-miel.

On le sait, certaines personnes se spécialisent dans la fabrication « d'antiquités ». Les collectionneurs arrivent à s'y reconnaître, mais il leur a souvent fallu beaucoup de temps et une longue fréquentation des antiquaires et des meubles pour en arriver là.

Pas besoin d'être un grand expert pour savoir que la colle n'a pas été utilisée avant la moitié du XIXe siècle. Donc, il est évident que les meubles où traîne un peu de colle ne peuvent être du XVIIIe. Il est bon d'apporter un aimant avec soi quand on visite les antiquaires. En effet, un aimant peut aider à identifier certains métaux de ferrures décorant les pièces. Si l'aimant s'accroche au métal, c'est qu'il s'agit d'un métal imitant le cuivre.

On doit toujours essayer de retracer certaines marques de rétrécissement du bois car tous les meubles authentiquement anciens donnent des signes de contraction du bois. Les pentures trop luisantes et les clous aux têtes rondes indiquent une fabrication récente.

Le bois qui a le plus de valeur est le pin. Attention au frêne traité pin!

REPRODUCTION ET COPIE ADAPTÉE

Il existe une différence entre la reproduction et la copie adaptée. Une reproduction est la copie exacte de la pièce antique alors que la copie adaptée essaie de suivre le mieux possible le modèle authentique, mais il y a toujours de légers changements.

Un meuble restauré à plus de 30% perd de sa valeur et de son authenticité. On appelle ces meubles « des meubles trafiqués ».

Mais presque tous les meubles anciens sont restaurés. Alors comment faire la différence entre une bonne et une mauvaise restauration?

La bonne restauration. La restauration est considérée comme professionnelle et réussie quand le meuble ancien est réparé avec un bois datant à peu près de la même époque, provenant de meubles ou constructions non utilisables. Il arrive qu'on récupère, dans des maisons vouées à la démolition, des portes, étagères et boiseries. Ces meubles servent à la restauration, tout comme des éléments de meubles trop abîmés pour être récupérables. Ces bois sont alors travaillés selon les méthodes en usage à l'époque de la fabrication du meuble à restaurer. On arrive ainsi à intégrer la réparation dans l'ensemble sans en déprécier aucunement la valeur, bien au contraire. Pour réussir une bonne restauration, il faut tout d'abord respecter la patine et ne pas rechercher un aspect de neuf, mais plutôt la consolidation.

La mauvaise restauration. Certains défauts de restauration diminuent considérablement la valeur des meubles anciens, comme, par exemple, l'utilisation de bois neuf. Ce dernier risque de « travailler » dans les mois suivant la réparation et celle-ci devient inutile puisqu'un panneau peut fendre, un pied céder et que tout est à recommencer. Lorsque le bois employé est de qualité inférieure ou que le grain est différent, les résultats sont toujours médiocres. Si la partie restaurée est vernie suivant une technique différente de l'originale, cela, loin de dissimuler le défaut, l'accentue. Le mastic est à bannir dans les restaurations.

Meubles non restaurés. En achetant un meuble dans l'état où l'antiquaire l'a lui-même acquis, on réalise une économie... ou on le pense un certain temps. Jusqu'au grand moment du décapage, du sablage, du nettoyage. Il faut du temps, de la patience et de l'amour. Sinon, mieux vaut confier le meuble à un spécialiste et débourser un peu plus.

Restaurations les plus courantes. Les *sièges* se détériorent rapidement et sont à remplacer de temps à autre. Les *fonds d'armoires* ayant été adossées à des murs humides exigent parfois un remplacement partiel ou complet, ce qui augmente considérablement le prix du meuble. Les *tiroirs* sont presque toujours remplacés par des morceaux exécutés dans des bois inférieurs. Les *pieds de meubles* sont très souvent usés ou abîmés. Si les assemblages ne comportent pas de sculptures, ils sont peu coûteux à remplacer.

Bonnetière en pin blanc
avec fiches en queues de rat
et verrou d'époque
fixés avec des clous (XVIIIe siècle)

Armoire à losanges (pointes de diamants).
Les gonds et entrées de
serrure sont d'époque (XVIIIe siècle).
Partie inférieure d'un meuble
qui comportait autrefois un corps supérieur.

Petit buffet du XVIIIe siècle
avec fiches de type « vase à perle »

Armoire du XVIIIe avec fiches d'époque, motifs en « plis de serviette ».

Armoire de la fin du XVIIIe siècle.

Buffet bas en pin à pointes de diamants.
Facture québécoise datant de 1760-1770.
(Hudson Antiques)

Armoire à un vantail avec fiches d'époque (XVIIIe siècle).

Armoire avec charnières en queues de rat,
région de Rigaud,
première partie du XIXe siècle.
(Collection Robert-Lionel Séguin)

Encoignure cintrée, en pin, fabriquée au Québec vers 1810. (Hudson Antiques)

Buffet à deux corps du XIXe siècle,
région d'Arthabaska;
berceuse d'inspiration américaine,
fabriquée à Trois-Rivières vers la fin du XIXe siècle.
(Collection Robert-Lionel Séguin)

Secrétaire de style victorien
fait à la main,
entièrement en pin,
datant de 1875 environ.
À côté, armoire de coin en pin
de la fin du XVIIIe siècle, début XIXe siècle.
(Arthur G. Bousquet Antiquaire)

Armoire-penderie en pin massif.
Copie style Louis XIV datant de plus de 150 ans.
Colonnes torsadées avec corniches à moulures
faites d'un composé de pâte de blé d'inde.
Entièrement façonnée par un ébéniste.
(Marc Laro Antiquaire)

)ressoir provenant de la région de Québec,
lébut du XIXe siècle.
'Collection Robert-Lionel Séguin)

\rmoire canadienne de style anglais,
lu XIXe siècle.
Jne tablette seulement à l'intérieur.
Petite Bourgogne Antiques, Mégantic)

*Cette armoire
d'un type très spécial
était utilisée
par des religieuses.
Noter la partie
supérieure arrondie.
(The Wesselow Antiques)*

Commode de fabrication québécoise (XVIIIe siècle).
Poignées de cuivre
et entrées de serrures importées de France.

Coffre monté sur patins datant de la fin du XVIIIe siècle;
assemblage à queues d'aronde et à chevilles.
Serrure et poignées d'époque.

Ce coffre ouvrant par le haut servait au rangement des catalognes.

Petite commode d'environ 30 pouces de hauteur, entièrement en pin. Donnée en cadeau de mariage vers 1857. (Collection Raynald Saint-Pierre)

Fauteuil du XVIIe siècle
à siège paillé.
Les appuie-bras sont repoussés
au tiers du siège.

Chaise de type « capucine »
du XIXe siècle.

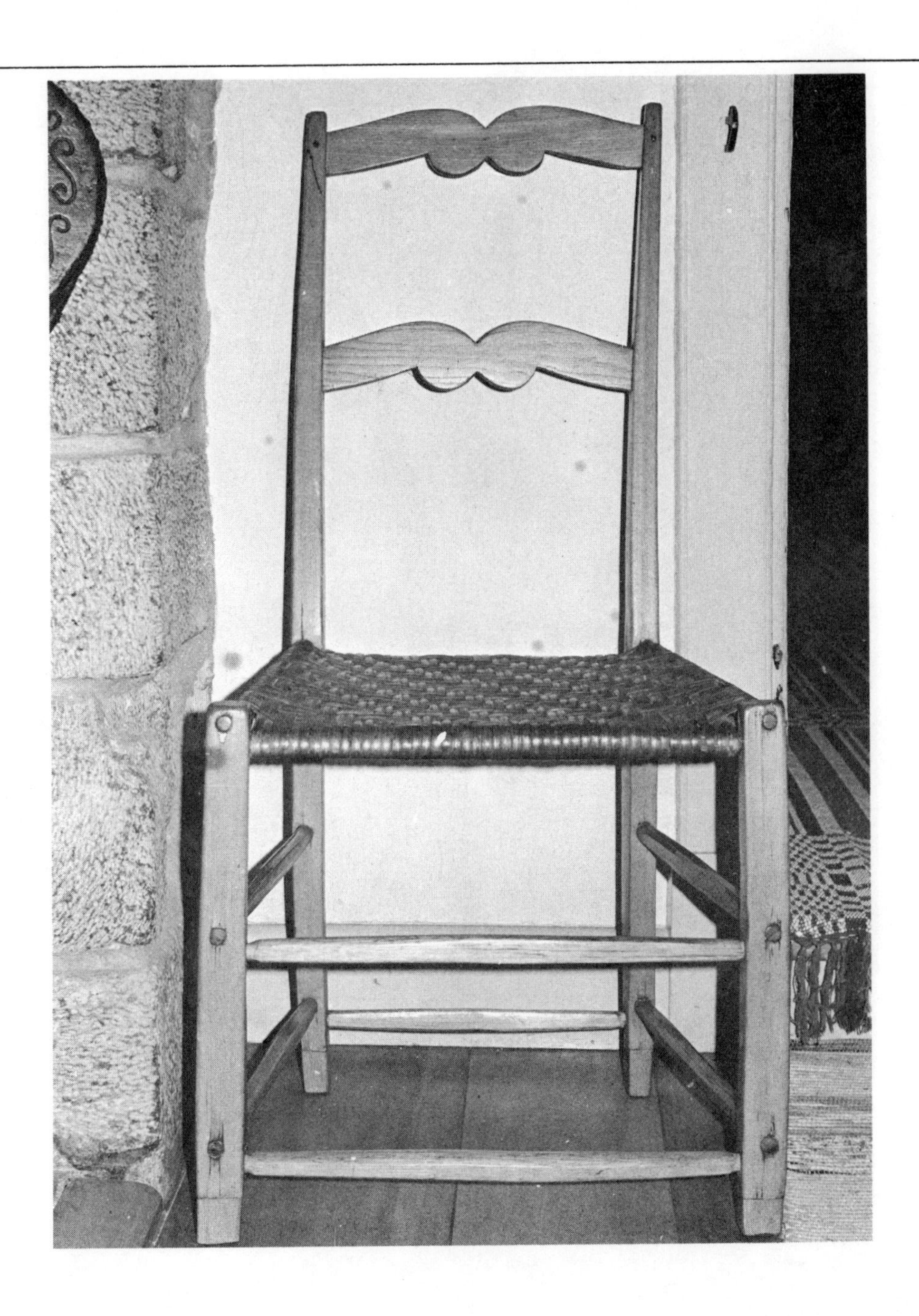

Berçante du XVIIIe siècle à motifs de balustrade et coquille, d'esprit Louis XV.
Selon toutes apparences, il s'agirait d'une chaise convertie en berçante.
Bois d'érable et de chêne.
(Collection Raynald Saint-Pierre)

Fauteuil d'aisance en bois de merisier, première partie du XIXe siècle. (Collection Raynald Saint-Pierre)

Chaise d'aisance pour enfant, fabriquée dans la région de Québec. (Collection Robert-Lionel Séguin)

Berceuse de Saint-Urbain
de Charlevoix,
famille Bouchard.
(Collection Robert-Lionel Séguin)

Porte-chapeaux fabriqué au début du XXe siècle par Amédée Séguin, à Rigaud. (Collection Robert-Lionel Séguin)

Sofa de style victorien fabriqué au Québec au XIXe siècle. (Puces Libres Antiques, Montréal)

Banc à carde fabriqué au XVIIIe siècle. Les chevilles de bois sont nettement visibles.

*Table de ferme du XVIIIe siècle,
avec piètement en H
et tiroirs aux extrémités.
Chaises du XIXe,
de type « oreilles de lapin ».*

Tabouret d'aisance en bois d'érable et d'épinette.
Début du XIXe siècle.
(Collection Raynald Saint-Pierre)

Petite table à entretoise en H,
coins en plis de serviette. Bois de pin, XVIIIe siècle.
(Collection Raynald Saint-Pierre)

Évier taillé à même la pierre, avec déversoir fermé par une cheville de bois. Volets de type français, fabriqués tout d'une pièce.

Horloge fabriquée
au Québec vers 1720.
Le mécanisme est importé.

Horloge de la fin du XVIIIe siècle.
La gaine a été fabriquée
par Bellerose (Trois-Rivières)
et le mouvement
est en bois de cerisier.

Horloge fabriquée
à Québec
vers la fin
du XVIIIe siècle.

Horloge Twiss, 1840 environ.
(Collection Robert-Lionel Séguin)

On trouve encore différents styles d'horloges anciennes chez les antiquaires.
(Robert Auclair, Longueuil)

MEUBLES CANADIENS OU QUÉBÉCOIS?

Canadiens? Québécois? Canadiens français? Canadiana ou Québécensia? Les experts et historiens ne s'entendent pas tous sur la façon de baptiser les meubles anciens.

Querelle de mots stérile? Divergence d'historiens? Quoi qu'il en soit, ce livre n'a pas la prétention de trancher le débat ni de prendre position. Tout au plus, veut-il éclairer un peu la lanterne des amateurs.

Il semble qu'on ait à choisir entre « canadien » et « québécois ». Il est vrai que l'appellation de « canadien-français » ne remonte qu'à la Confédération. Avant, on parlait des « Canadiens » pour désigner les francophones, et des « Anglais » pour les anglophones.

Robert-Lionel Séguin est catégorique: pour lui, parler de meubles canadiens-français est une aberration: « D'où viennent donc les Canadiens français? D'où ont-ils apporté leurs traditions? Le Canada a une culture traditionnelle relativement jeune, ce qui force à réaliser que le Québec ne peut pas s'être inspiré, ne s'est jamais inspiré de la culture traditionnelle canadienne. » M. Séguin, qui vient précisément de terminer une étude sur l'apport canadien à la vie traditionnelle du Québec aux XVIIe, XVIIIe et XIXe siècles, ajoute que nos artisans se sont inspirés de la culture américaine, anglaise, française ou allemande: « (...) nos plus anciennes pièces datant à peine du XVIIIe siècle, il est évident que nous avons subi ici toutes les influences étrangères. »

Eric MacLean rejette lui aussi le terme « canadien-français ».

Le meuble ontarien est un meuble canadien. De même que le meuble fabriqué dans les Maritimes. C'est en général un meuble d'esprit victorien, mais avec cette touche ontarienne qui le différencie du meuble qu'on retrouve en Angleterre. Par contre, le meuble québécois est surtout un meuble d'influence française, généralement du XVIIIe siècle. Mais il peut arriver qu'un meuble québécois soit d'inspiration anglaise (d'Angleterre). Ainsi, Robert-Lionel Séguin possède une magnifique armoire en pin d'esprit Adam. « C'est un meuble québécois, précise-t-il, en pin, fabriqué par un artisan québécois qui a copié un meuble d'esprit Adam. »

On entend souvent dire que le bois sert à identifier un meuble et que tous les meubles en pin sont québécois. Rien n'est plus faux. S'il est vrai que le pin a été le bois le plus employé pour la fabrication artisanale, il reste que des meubles authentiquement québécois ont été taillés en frêne, en érable, en merisier, en bouleau blanc.

Le meuble québécois serait donc celui qui a été réalisé ici, dans la province de Québec, qu'il soit d'inspiration anglaise ou française, tandis que le meuble canadien serait celui qui a été fabriqué en Ontario ou dans les Maritimes.

CE QU'ON TROUVE ENCORE

La plupart des armoires à pointes de diamant des XVIIe et XVIIIe siècles (dont on peut voir les photos ou reproductions dans les livres spécialisés) font maintenant partie de collections privées ou sont exposées dans les musées. Cela ne signifie nullement qu'il ne reste plus de meubles intéressants sur le marché. Voici ce qu'on peut trouver en faisant la tournée des antiquaires.

Commodes, bahuts et buffets. Gerald Stevens[1] différencie l'armoire québécoise de celle d'origine ontarienne par les moulures appliquées qui décorent la première. Ce sont toutefois les armoires ontariennes qu'on retrouve le plus souvent: d'une seule pièce, elles sont austères, massives et sans ornementation. Les styles Reine Anne et Chippendale sont encore très populaires. Il y a de moins en moins de ces meubles à moulures sculptées ou décorées. Par contre, on trouve encore des commodes, bahuts et buffets, peut-être plus simples et dépouillés, mais d'une solidité et d'une beauté certaines.

Encoignures ou buffets de coin québécois. Ces meubles sont généralement en pin. On les fabriquait surtout à deux corps, avec deux ou quatre vantaux et des moulures saillantes. L'influence anglaise reste la plus marquante bien que le style Louis XV ait inspiré certains artisans.

Vaisseliers. Également en pin, ils sont aussi d'inspiration anglaise. Ouverts ou fermés, ils sont composés d'étagères dans le haut et de deux portes dans le bas ou quelquefois munis d'un tiroir entre le corps supérieur, sous les étagères.

Huches et pétrins. On les utilisait dans toutes les familles. Ceux qu'on retrouve ont la forme d'un coffre sur pied et sont souvent munis d'un couvercle. Gerald Stevens[2] fait remarquer que la huche québécoise est plus large que celle d'Ontario.

Rouets et dévidoirs. On ne trouve presque plus de gros rouets qui sont devenus des pièces de collection mais il reste encore de petits rouets en pin, à l'aspect rustique. Les rouets du XIXe siècle sont à petite roue, actionnés à la main, avec pédale en fonte ou en bois. Les plus anciens sont signés. Les fabricants les plus importants étaient à Bellechasse et à Kamouraska.

Lave-mains ou meubles de commodité. Produits en grand nombre et en plusieurs sortes de bois, ils se vendent de $25 à $200, dépendant du bois, des retouches ou des décorations (un dessus de marbre fait immédiatement grimper le prix). Le dessus du meuble est généralement découpé d'un cercle pour recevoir un bassin et l'intérieur comporte

1. Gerald Stevens, *In a Canadian Attic*, McGraw-Hill Ryerson Limited.
2. Op cit.

une tablette sur laquelle on déposait le pot de chambre. Les côtés sont parfois garnis d'un porte-serviettes.

Berceaux. Les berceaux du tout début de la colonie étaient en pin et leurs lignes étaient très simples. Bien qu'il soit plutôt rare de trouver un ber travaillé et sculpté, certains artisans décoraient les bers avec des cœurs ou autres motifs du genre. Certains modèles du XVIIe ont été copiés jusqu'en 1875. Le ber qu'on trouve encore le plus de nos jours est celui de forme rectangulaire, monté sur patins. Au début du XIXe siècle, l'influence américaine se fait sentir dans la fabrication des berceaux qu'on recouvre d'un demi-toit.

Tables. On a fabriqué des tables en grande quantité et il est relativement facile d'en trouver de fort belles. Par contre, les grandes tables de réfectoire sont en voie de disparition. Les tables de salle à manger d'inspiration anglaise (époque victorienne), carrées, rectangulaires à abattants, aux pieds galbés, quelquefois munies d'un tiroir, sont encore en circulation.

Chaises. Les chaises également ont été fabriquées en grande quantité. Les « capucine » ou « chaise d'Orléans » sont des espèces rares, mais la chaise droite à siège paillé se trouve encore assez facilement chez les antiquaires, de même que la berceuse de facture artisanale. Les plus courantes sont celles de la période victorienne ou les chaises de facture américaine largement reproduites au Québec (chaise Windsor et Boston rocker, arrow back ou hitchcock).

En plus de ces meubles, succinctement décrits, il existe d'autres pièces intéressantes pour le collectionneur. Ne sont mentionnés ici que les principaux meubles, ceux qui intéressent le plus l'amateur. C'est souvent en cherchant un meuble bien précis qu'on fait connaissance avec un objet dont on ne soupçonnait même pas l'existence. À ce petit jeu, on risque de se brûler et d'amateur... devenir collectionneur.

ANTIQUITÉS ET ANTIQUAILLES

Comme on l'a vu rapidement, l'appellation « antiquité » est problématique. Il semble que chaque époque et chaque continent ait eu ses critères pour déterminer quand un meuble avait droit au qualificatif « antiquité ».

Les spécialistes et les connaisseurs s'entendent pour établir un barème qui varie entre 100 et 150 ans. Mais d'autres facteurs que l'âge du meuble entrent en ligne de compte. Comme par exemple l'engouement des collectionneurs qui contribue à valoriser un objet et souvent à le faire entrer dans la catégorie d'objet d'art ou d'antiquité.

Une législation canadienne, datant de 1967, qui détermine les taux de douane au moment de l'importation ou de l'exportation, reconnaît comme « antique » tout objet de 100 ans et plus, à condition que l'acheteur et le vendeur puissent fournir des preuves de l'authenticité de la date de fabrication. Aux États-Unis, la loi diffère un peu et fixe à 140 ans l'âge d'une antiquité.

Le mot antiquité évoque « des vieilles choses ». Ces vieilles choses — meubles ou objets — jouissent présentement d'une telle popularité que bien souvent on ne fait plus la distinction entre leur valeur sentimentale et leurs valeur objective. La « valeur » en soi est mesurable et un meuble signé vaut sûrement plus qu'une chaise à fond paillé, mais comment éviter une certaine spéculation dans ce domaine?

Il est indéniable que la valeur sentimentale et la valeur objective des antiquités sont interdépendantes. Il ne viendra jamais à l'esprit d'un vendeur d'automobiles de jouer sur la corde sensible de la nostalgie ou d'insister sur la « bonne affaire ». Une automobile est faite pour rouler et dans cinq ans elle ne vaudra à peu près plus rien. Il n'en n'est pas de même pour cette armoire ou ce vieux fauteuil. Ils ont un passé et dans cinq ans ils vaudront encore plus cher qu'aujourd'hui.

Mais la majorité des antiquaires sont honnêtes, aiment leur métier et le font bien. L'amateur qui débute peut se fier à eux, ce qui ne l'empêche pas de se renseigner, de se documenter afin de s'y retrouver un peu mieux au royaume des antiquités.

Dans son livre[1], Michel Lessard cite quelques dates qui permettent d'identifier les objets comme de véritables antiquités.

Également, un meuble dont on connaît l'auteur et les différents acquéreurs au cours des années vaut plus qu'un autre, de la même époque, dont on ignore l'histoire.

Alors comment établir le critère de valeur? En fonction de la rareté? Pas toujours, bien que les meubles en voie de disparition acquièrent de plus en plus de valeur.

En fonction de l'authenticité? Pas toujours, puisque si on applique ce critère, des meubles tout récents, d'artisans maintenant disparus, vaudraient presque autant que des meubles anciens.

Le matériau est un critère important. Le pin est le plus apprécié et le plus recherché des bois et les objets en argent valent plus que le verre ou l'étain.

L'état de la pièce est également un facteur important. Un meuble pas trop détérioré, qu'on n'a pas maquillé, sinon massacré, est un objet de prix.

Le marché des antiquités est lui aussi soumis aux lois de l'offre et de la demande. Pourquoi payer si cher, aujourd'hui, une vieille berceuse dont personne ne voulait il y a 15 ou 20 ans? Il faudrait un manuel de sociologie — et encore! — pour tenter de répondre à cette question. D'où viennent ces engouements? ces modes?

Snobisme, sentimentalité, attachement au patrimoine. Sans doute autant de réponses que d'amateurs. L'essentiel est de ne pas perdre la tête et de se fier aux antiquaires reconnus.

---

1. *Encyclopédie des antiquités du Québec*, Michel Lessard et Huguette Marquis, Éditions de l'Homme, pp. 48 et s.

CHAPITRE IV[1]

Restauration, rénovation et entretien

« L'art est beau quand la main, la tête et le cœur travaillent ensemble. »

— J. RUSKIN

« ...*Le chêne y est à l'origine, le matériau préféré des beaux meubles, comme il l'a été — plus longtemps et pour cause — en France. Adapté à la flore locale, la vogue des bois clairs y est la même que dans le mobilier français traditionnel des dernières périodes. La fabrication des meubles, au Canada comme en France, relève surtout des menuisiers itinérants. La corporation de métiers et le compagnonnage ne sont pas attestés au Canada; faits qu'explique la fomule libérale de ses structures sociales. Mais, signe d'une foi chrétienne partagée avec nos artisans d'ancien régime, on y retrouve la confrérie...* »

— GEORGES-HENRI RIVIÈRE,
conservateur en chef du Musée des Arts et Traditions populaires,
directeur du Conseil international des Musées,
in *Les Meubles anciens du Canada français.*

« Pour faire du bon ouvrage, il faut absolument aimer ce que l'on fait, ne jamais envisager de terminer une restauration rapidement, toujours se dire: demain il fera encore jour. Non seulement il est indispensable d'avoir l'amour du travail mais aussi l'amour du travail bien fait. »

— ROBERT L. LE CORRE
ébéniste au village Upper Canada

1. Ce chapitre a été réalisé en collaboration avec *Les Artisans du Meuble québécois Inc.*

Sculptures naïves en fonte et en bois. (Antiquités Trottier, Bernières)

Poupées de porcelaine. (Antiquités Trottier, Bernières)

Boîte à chandelles et tête de pipe indienne. (Antiquités Trottier, Bernières)

Coffrets de bois aux couleurs d'origine et boîte à sel. (Antiquités Trottier, Bernières)

Écuelle en terre cuite, fabriquée par les Dion à l'Ancienne-Lorette. (Collection Robert-Lionel Séguin)

À droite, étendeur pour étirer et sécher le cuir. À gauche, un dévidoir avec compteur de tours. Chevilles et clous forgés. (Antiquités Trottier, Bernières)

Cet ange sculpté dans le pin date des environs de 1800. Ses couleurs sont originales. (Dumoulin's Antiques, Ayer's Cliff).

Cruche de grès et de bois fabriquées vers 1860 à Saint-Jean-d'Iberville. Les communautés et les restaurants s'en servaient pour garder chaude la nourriture. (Collection Emile Pellerin)

Cruche de grès mesurant deux pieds de hauteur. Les cultivateurs s'en servaient pour faire macérer leur vin (début du siècle). (Collection Emile Pellerin)

Moules à beurre. (Collection Emile Pellerin)

Fers à repasser. (Collection Emile Pellerin)

Détail d'un cadre datant du régime français. Mesurant environ cinq pieds par six pieds, ce cadre se trouvait à l'origine derrière le maître-autel dans la chapelle de la seigneurie de Grondines. (Collection Emile Pellerin)

Lampe à l'huile fabriquée aux États-Unis vers 1890. Toutes les familles riches du Québec en possédaient de semblables. (Collection Emile Pellerin)

Pelles à poussière du XVIIIe siècle.

Les apiculteurs utilisaient cet instrument pour engourdir les abeilles et les tenir éloignées: la fumée était produite par de l'écorce de cèdre humide et enflammée. (Collection Emile Pellerin)

Bouteilles d'eaux gazeuses fabriquées au Québec entre 1890 et 1900. (Collection Michel Sainte-Marie)

Les experts en réparation ou restauration estiment qu'un amateur peut difficilement se considérer comme un véritable restaurateur, même en se servant de tous les conseils judicieux d'un bon livre ou guide. Voilà pourquoi il est préférable d'employer le terme « rénovation ».

Les antiquaires eux-mêmes se défendent de restaurer, considérant cela comme une sorte de tromperie. La tradition veut d'ailleurs qu'un objet, surtout s'il est de grande valeur, soit nettoyé et, à la rigueur, réparé, c'est-à-dire consolidé ou recollé, mais en principe rien ne doit lui être ajouté. Seuls sont tolérés le revernissage et le regarnissage de certains meubles, comme les sièges et les canapés.

Le but de ce chapitre est donc de donner quelques conseils afin de redonner un aspect sain et vivant à ces vieux meubles et objets trouvés dans les encans ou les foires, et aussi d'indiquer ce qu'un amateur peut tenter de réussir.

Aussi étonnant que cela puisse paraître, les spécialistes de la restauration emploient des produits très simples, ceux qu'on retrouve habituellement à la cuisine ou à la cave et dont on se sert tous les jours.

Il y a certaines restaurations que seuls les ébénistes peuvent réussir, souvent même avec difficulté. Il y a au Québec plusieurs excellents ébénistes qui réussissent souvent des miracles, grâce à leur compétence et leur souci du travail bien fait. On trouve leurs noms dans l'annuaire des Pages jaunes sous la rubrique « ébénistes » (ou « cabinet makers »). Certains antiquaires offrent aussi un service de restauration ou réfèrent leur clientèle à des spécialistes compétents.[1]

Tous les spécialistes consultés sont unanimes à dire que toute réparation d'objet ou de meuble ancien en diminue la valeur, si elle reste visible. Si on a l'intention de réparer un meuble, il est sage de commencer par une partie cachée et de constater le résultat avant de poursuivre. On conseille aussi de ne pas attendre trop longtemps avant d'effectuer une réparation, comme recoller un pied de chaise ou un tiroir défectueux, car cette négligence rend la réparation plus difficile.

L'amateur qui restaure quelques meubles à l'occasion n'a pas à acheter tous les outils employés par les ébénistes. On suggère dans ce guide le matériel conseillé par les Artisans du Meuble québécois.

1. Les amateurs désirant se renseigner davantage liront avec intérêt la bible du restaurateur: *Comment restaurer les meubles antiques,* de Robert Le Corre, restaurateur du village Upper Canada, entièrement consacré aux problèmes de la restauration, (Éditions du Renouveau Pédagogique), ainsi que le livre de H. S. Plenderleith, *La Conservation des antiquités et œuvres d'art,* Paris Eyrolles, 1966. *Les Artisans du Meuble québécois Inc.,* organisation groupant plus de 150 spécialistes de différentes disciplines de l'artisanat, offrent un cours de restauration du meuble ancien et de rembourrage, à l'intérieur d'un cours d'initiation à la décoration intérieure. *Les Artisans du Meuble québécois Inc.,* 88 est, rue Saint-Paul, Vieux-Montréal H2Y 1G6. Téléphone: 514-866-1836.

LES BOIS ET LES COLLES

On l'a vu, les réparations importantes sur des meubles de grande valeur devraient être confiées à des spécialistes. Mais un bricoleur, amoureux et patient, réussira certainement à recoller un meuble. On offre toutes sortes de colles sur le marché, mais toutes ne conviennent pas au bois. Aussi, il faut choisir la colle appropriée, mais avant de procéder au collage, on doit vérifier si la pièce branlante a besoin de consolidation par un apport extérieur (comme la pose d'une équerre pour renforcer la ceinture d'une chaise). *Il faut toujours respecter le style du meuble.*

De nos jours, la colle a remplacé les chevilles, l'outillage manuel, le temps n'ayant hélas plus la même valeur qu'autrefois.

Quelquefois, pour obtenir un résultat plus heureux, il vaut mieux décoller complètement le morceau défectueux (barreau de chaise, pied traverse), le nettoyer, gratter la partie devant être recollée et la replacer après l'avoir enduite de colle. Trop de colle et l'absence de pression donnent inévitablement un résultat négatif. Pour coller deux pièces de bois, il faut une forte pression soutenue pendant plusieurs heures, de façon à ne plus voir la colle qui aura pénétré les pores du bois. Pendant que dure cette opération, il faut que la pièce reste immobile, en position. On peut même la ligoter.

Colle spéciale à chaud. Colle blanche à froid. L'histoire rapporte qu'on ne trouva aucune colle valable avant le XVIIIe siècle et les artisans ébénistes ne bénéficièrent de résultats concrets qu'à partir du XIXe siècle, où la colle à base de poisson et d'os animal s'employait à chaud. On la faisait au bain-marie, de matière gélatineuse collante; elle avait l'avantage de se réchauffer après refroidissement, car il est impossible de faire de bons collages avec une colle tiède, sans prendre le risque de tout recommencer le lendemain. C'est la *colle forte,* employée pendant nombre d'années par les ébénistes et que plusieurs préfèrent encore de nos jours.

Cependant, à cause du chauffage central, plusieurs vieux meubles se disloquent subitement, après avoir tenu le coup pendant longtemps. La *colle froide,* qui ressemble beaucoup à la *colle forte,* peut maintenant remplacer avantageusement cette dernière dans certains cas (comme les assemblages).

Les experts ne veulent aucunement sous-estimer les colles modernes mais ils semblent préférer la colle de produit animal, bien que celle-ci exige de six à huit heures de pression avant d'être suffisamment sèche. Il est conseillé de l'étendre à la spatule plutôt qu'au pinceau, et sans excès.

Il existe des colles très résistantes comme la colle à l'épreuve de l'eau ou la colle à base de casérique (en poudre), mais les meubles anciens ne nécessitent pas ces colles spécialisées destinées à des objets soumis à rude épreuve.

Remplacement d'une cheville. Il est assez simple de remplacer une cheville qui a sauté. Il suffit d'en tailler une nouvelle un peu plus grosse, dans le même bois, de l'enduire de cire ou de paraffine et de l'enfoncer au maillet.

Il est important de choisir du vieux bois si on projette de remplacer une planche au fond d'un bahut ou d'une armoire. Les bois neufs, même secs, travaillent et le résultat risque d'être désastreux après un certain temps.

Il est plus difficile de démembrer un meuble, de réparer un montant ou toute autre partie, ou même de remplacer une pièce qui manque. Il faut alors façonner ces pièces et les rassembler. Cela n'est plus du domaine du bricoleur amateur mais certains peuvent réussir. Pour cela, il importe avant tout de savoir comment le meuble a été bâti, de demander conseil à des connaisseurs et, bien sûr, d'avoir quelque aptitude.

LE DÉCAPAGE

Avant d'entreprendre toute réparation, il faut procéder au décapage. Si toutes ces opérations de décapage, nettoyage et entretien du bois demandent qu'on soit bien renseigné pour éviter de se tromper, elles n'en restent pas moins relativement faciles à réussir.

La peinture a été d'usage courant vers 1800 chez les menuisiers-sculpteurs, sans doute influencés par le style Louis XVI où la coloration des bois se faisait plutôt par peinture que par teinture. Il est donc fréquent qu'on retrouve des couches de rouge, de bleu, surtout de vert, parfois d'orange mat, au moment de décaper un meuble. Quand on a la chance d'acquérir un meuble avec sa peinture originale, il est inutile (certains diraient criminel) de le décaper. Un bon nettoyage suffit dans ce cas. Mais il arrive que les meubles soient enduits de couches de vernis ou de teinture ou de couches superposées de vieille peinture écaillée. Dans ce cas, on n'a pas le choix et on doit décaper, travail laborieux et délicat puisqu'il s'agit de retrouver la couleur originale du bois sans massacrer ce dernier. Trop de décapant, une main hésitante, un moment d'impatience ou d'énervement peuvent compromettre définitivement le résultat.

Avant de commencer à décaper un meuble, il importe de connaître la nature du produit à enlever. Pour une table peinte ou un meuble verni, il ne faut qu'un seul produit. Un décapant liquide fera très bien l'affaire. Mais attention au grattage. On ne doit jamais employer un objet tranchant quand on touche le fil du bois car on risque ainsi d'endommager la patine. On doit répéter l'opération décapage autant de fois qu'il y a de couches de peinture. On nettoie avec des chiffons et on recommence en versant très peu de liquide à la fois.

Peinture. Pour décaper la peinture, il est préférable de procéder par section, en plaçant la surface à décaper horizontalement. On déplace le meuble et le renverse dans tous les sens, à mesure qu'on avance

L'opération décapage, l'une des plus importantes dans la restauration d'un meuble.
Un professeur des Artisans du meuble québécois Inc. explique ici comment se servir du grattoir de bois.

Pour exécuter un bon travail,
on doit se munir de gants de caoutchouc
et d'un tablier pour éviter
les brûlures et les éclaboussures.
L'endroit où l'on travaille doit être bien aéré.

Après l'avoir débarrassé des couches de peinture,
on aperçoit le grain du bois.
On utilise alors une laine d'acier très fine,
dans le sens du bois.
Ne jamais se servir d'une sableuse électrique.

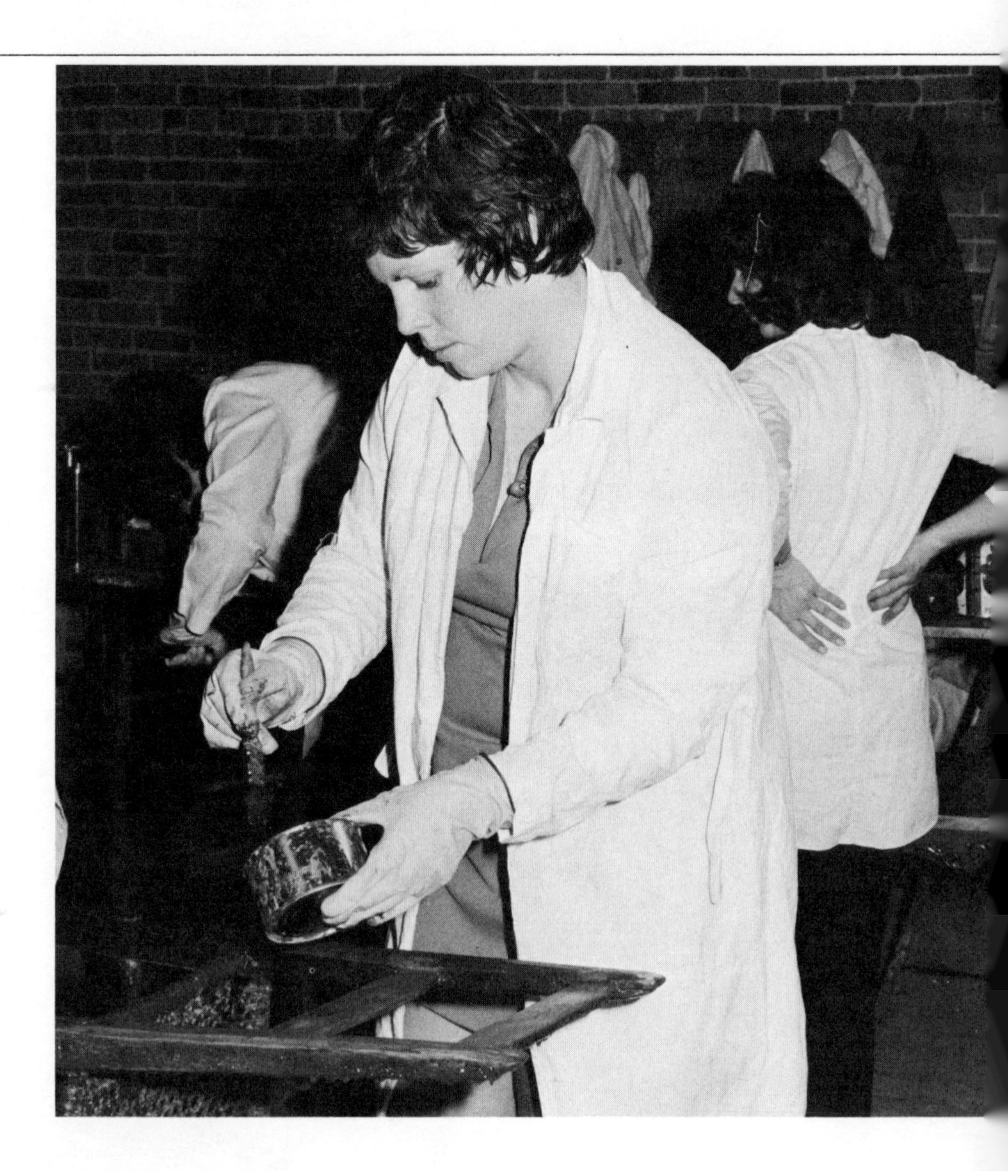

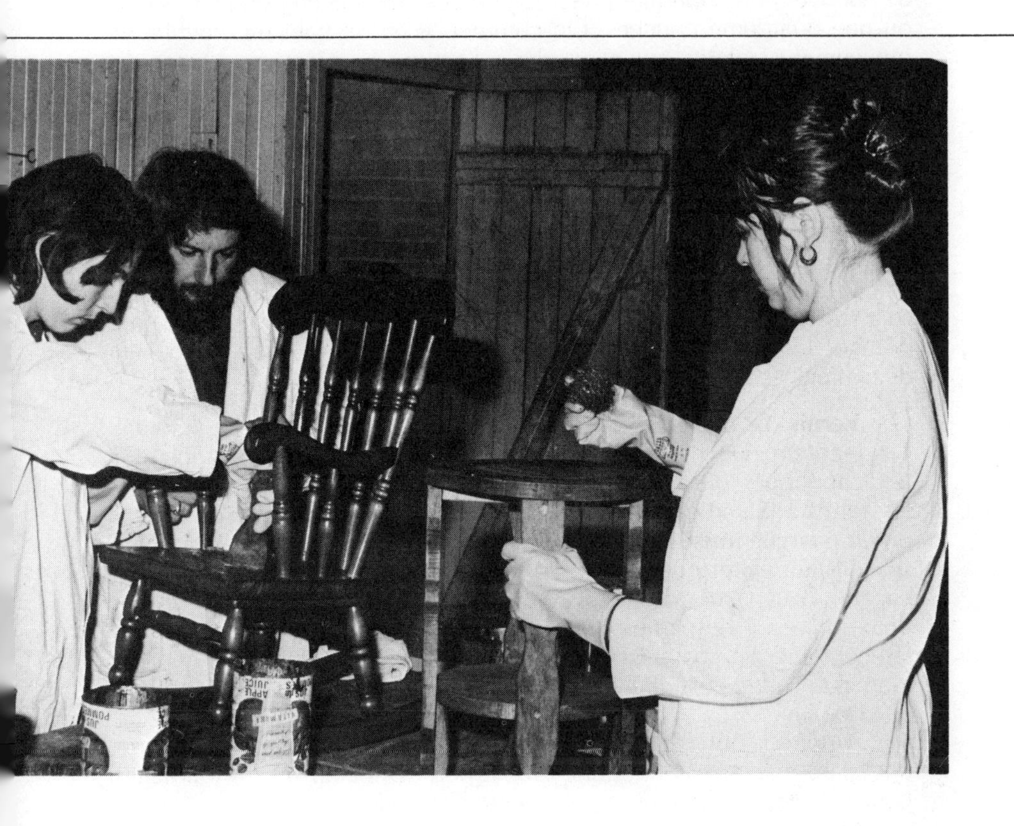

dans le travail. On peut appliquer le décapant au pinceau, mais sans appuyer. On laisse le décapant agir pendant 15 à 20 minutes avant de nettoyer et d'appliquer une seconde et éventuellement une troisième ou une quatrième couches. On commence par le haut du meuble, en mouvements rotatifs afin d'accélérer l'action du décapant. Quand on voit la peinture se soulever, on prend un grattoir ou de vieux chiffons pour enlever les résidus ou on tourne le meuble verticalement et, avec le bout des poils du pinceau, on fait tomber la peinture sur le sol recouvert de vieux journaux ou de carton. Entre les applications de décapant, on nettoie le meuble avec une laine d'acier dans le sens de la nervure du bois et ensuite on essuie avec un chiffon imbibé de décapant.

On peut utiliser une brosse de crin pour les parties rondes, les coins et barreaux. Pour les endroits difficiles d'accès, les brosses à dents sont très utiles. On ne doit jamais employer de fer ou de métal pour dégager les saletés dans les coins et recoins. Il faut changer souvent de chiffons et de laine d'acier.

Vernis. Le décapage est à peu près le même que pour la peinture. On recommande de décaper le meuble en une seule opération. On peut appliquer une première couche de décapant à l'horizontale et les autres à la verticale, ce qui permet de gagner du temps tout comme on en épargne aussi si on nettoie le bois dès que le vernis est bien dissout. Il faut éviter que le meuble ne sèche entre deux couches de décapant. Pour le dernier essuyage, on conseille d'employer un chiffon doux imprégné de parties égales d'huile de lin bouillie et d'essence de térébenthine. En passant la main sur la surface du meuble, on constate alors que celle-ci est douce et lisse comme la peau d'un bébé. Le décapage est fini.

À noter. Pour cette opération il faut des pinceaux et des chiffons, une laine d'acier très fine, une brosse pour les détails et les tournages. Jamais de papier sablé ni d'instrument métallique.

On suggère toujours d'essayer le décapant soit sur un barreau de chaise ou une partie basse du côté du meuble. On évite ainsi des erreurs et on se rend compte si le produit est trop ou pas assez fort. Trop fort, on lui ajoute de la térébenthine; pas assez, de l'alcool.

Conseils pratiques. Il faut toujours décaper avec des gants en caoutchouc. Il est préférable de s'installer à l'extérieur ou dans un garage ou une cave bien aérée. Pour éviter des dégâts, on conseille de s'installer sur plusieurs couches de vieux journaux, ce qui permet de travailler à l'aise et même de laisser le meuble en place et de le reprendre les jours suivants, si on ne dispose pas de beaucoup de temps ou que le meuble à décaper est assez gros.

À noter. Ne jamais décaper à sec. Ne jamais heurter le bois. Pour éviter de tels accidents, ne jamais utiliser de grattoir métallique ou de couteau à mastic.

Le papier sablé est inutile et même dommageable pour le décapage.

Ne jamais employer de décapants à base d'eau. Ils lèvent les pores du bois, et les produits à base d'hydroxyde de sodium ternissent et foncent le grain du bois naturel, comme le chêne, le noyer.

Quels décapants choisir? Il existe sur le marché plusieurs bons décapants. Les décapants à base de pâte ou en gelée sont moins efficaces que les liquides.

On trouve également aux Artisans du Meuble québécois des produits spécialisés pour les meubles en bois. On les divise en quatre catégories correspondant aux types de bois. *Décapant versatile,* principalement pour les meubles de bois huilés et pour les objets délicats et précieux. Il n'enlève qu'une mince couche à la fois. La *pierre ponce* utilisée par les artisans depuis plusieurs années pour les meubles vernis et laqués. Cette pierre ponce liquide, qui enlève jusqu'à 80% des impuretés des vernis, n'égratigne pas et peut faire disparaître les cernes de verre partiellement ou complètement sans enlever le vernis. *Décapant à cire,* recommandé pour enlever les vieilles cires et enfin le *décapant des artisans,* décapant concentré quatre dans un, d'une efficacité exceptionnelle pour enlever rapidement et sans danger les vieux enduits de vernis, de peinture.

Conseil pratique. Il est préférable de conserver une légère couche de vernis plutôt que de risquer d'attaquer le bois.

Bain d'arrêt. Lorsque tout a été enlevé, que le meuble est bien nettoyé avec un chiffon ou une laine d'acier trempée dans du décapant propre, il est prêt à recevoir le bain d'arrêt. On l'applique avec un chiffon et on frotte dans le sens du bois. On doit s'assurer que tout le meuble en est bien enduit.

À noter. Il faut absolument rincer son chiffon à l'eau froide avant de le jeter. Les experts rappellent que le décapant est un produit très inflammable et que le chiffon risque de brûler si on ne le rince pas avant de le jeter.

Décoloration. Une fois le décapage terminé, si on constate des taches sur le meuble, il ne faut pas entreprendre le bain d'arrêt car il faut alors procéder à une décoloration du bois.

Voici ce que Les Artisans du Meuble québécois pensent de la décoloration.

- — Le décolorant a pour fonction première de dénaturaliser la pigmentation des couleurs (couleur des teintures et couleurs du bois). On utilise le décolorant, après le décapage, pour deux raisons précises: 1) lorsqu'on s'aperçoit que le meuble, une fois décapé, est taché; 2) si on désire enlever toute trace de teinture.
- — Il faut d'abord appliquer une couche de décolorant avec un pinceau sur toute la surface à décolorer. Laisser pénétrer cinq minutes.
- — Appliquer ensuite une bonne couche de décolorant qu'on laisse travailler de quatre à 24 heures.

— Si la décoloration est belle, on applique une couche de neutralisateur qui lui; arrêtera le travail de la décoloration.
— Le décolorant ne remplace pas le décapant. Sa seule fonction est d'enlever les taches dans le bois. Il enlève également les teintures.
— Souvent, après avoir attendu 24 heures, la décoloration n'est pas suffisamment belle pour appliquer le neutralisateur. Il faut alors reprendre les opérations 1 et 2.

Conseils pratiques. Les systèmes de décapage suivants sont à proscrire:

La torche: elle chauffe le bois et même si elle ne le brûle pas, elle provoque des distorsions, le bois se dessèche et se craquèle à la longue.

Le bain: certaines personnes croient bien faire en trempant leur meuble dans un bain de soude caustique. Si ce système est excellent pour enlever aisément la peinture, il est à déconseiller car un meuble n'est pas fait pour être trempé dans l'eau. En agissant de la sorte, on risque que le meuble travaille, des fentes peuvent apparaître, il peut y avoir du jeu dans les assemblages. Ceci est dû au travail que subit le bois en passant de l'état humide à l'état sec.

À noter. Il arrive que le bois prenne une couleur (rouge, bleu, vert). C'est souvent le cas de très vieux meubles qui autrefois étaient teints de sang de bœuf, de jus de bleuet, de betterave. Si le décapant enlève vernis et vieille peinture, il n'a par contre aucun effet sur ce genre de teinture naturelle. La plupart des collectionneurs aiment laisser cette teinture à leurs meubles. Sinon (et c'est dommage), il faut décolorer les pigments de la teinture qui ont été absorbés par les cellules du bois et reteindre ensuite selon la couleur recherchée.

LA FINITION

Polissage, cire et encaustique. Une fois le décapage terminé, reste la finition. Certains experts conseillent le polissage à l'huile ou à la cire, d'autres, la teinture.

Quand on opte pour le polissage, il faut procéder très lentement, ne jamais précipiter l'opération.

Le polissage à la cire d'abeille est spécialement recommandé pour teinter légèrement un meuble, pour accentuer le ton du bois lorsque le meuble décapé révèle une couleur miel.

Dans chaque cas, on emploiera la cire qu'il convient, soit teintée, naturelle ou avec concentrés de couleur.

La cire d'abeille est très économique et excellente pour le bois. Elle adoucit la surface du bois. En pain ou diluée dans l'essence de térébenthine pure, elle se conserve longtemps à l'abri de l'air et de la poussière.

Pour obtenir un mélange d'encaustique, on réduit une petite quantité de pain de cire en paillettes et on les met dans un contenant de verre ou de métal fermant hermétiquement (on peut utiliser un vieux grattoir à légumes pour obtenir les paillettes). On les recouvre avec l'essence de térébenthine. Vingt-quatre heures plus tard, quand le mélange forme une pâte homogène, on ajoute encore de l'essence pour obtenir un liquide. Pour deux pouces de pâte, on conseille d'ajouter un demi-pouce ou un peu plus de térébenthine et de bien mélanger le tout avec une spatule de bois. On répète la même opération chaque jour jusqu'à ce que la cire reste liquide. Cela peut prendre une semaine. L'encaustique doit être liquide *absolument* pour pénétrer dans les pores du bois. On laisse sécher de six à huit jours, jusqu'à ce que le bois ait absorbé le plus de cire possible. Le meuble sera alors un peu collant et on enlèvera cet excédent, en frottant bien dans le sens du grain du bois, avec une brosse de paille de riz, à poils assez courts.

Cire colorée. Si on veut teinter légèrement le bois après le décapage, on emploie une cire teintée (rouge, noyer, vert foncé, etc.) et on l'applique, toujours dans le sens du grain du bois. On laisse sécher 20 minutes et on éclaircit avec un chiffon propre. Si la couleur ainsi obtenue n'est pas assez prononcée, on ajoute alors de deux à trois couches supplémentaires de cire naturelle.

Cire teintée. Pour accentuer la teinte d'un bois, trop foncé après le décapage, on applique une ou deux couches de cire teintée.

À noter. On doit toujours employer une cire teintée sur un bois foncé, car la cire naturelle risque de laisser un dépôt blanchâtre. On termine toutefois l'opération avec une ou deux couches de cire naturelle.

Huile de lin bouillie. Ce procédé est très connu. Il est peu coûteux mais demande une infinie patience. Pour obtenir de bons résultats, il faut employer très peu d'huile de lin et la faire pénétrer complètement. Pour ce faire, on conseille un morceau de flanelle, de feutre ou un chamois. On étend avec ce chiffon propre, on laisse pénétrer de 15 à 20 minutes, puis on essuie avec un autre chiffon propre. Il faut attendre 48 heures avant de répéter l'opération.

Cette huile a tendance à gommer rapidement et il arrive qu'elle soit inutilisable après peu de temps. Dans ces cas, elle colle aux doigts. Si on a utilisé une huile gommée, on peut l'ôter en frottant à sec, très délicatement, avec une fine laine d'acier.

De trop nombreuses et fréquentes applications d'huile peuvent rendre un meuble collant. On doit alors le nettoyer avec une laine d'acier trempée dans un mélange égal d'alcool de bois et d'essence de térébenthine. On attend ensuite 24 heures avant d'entreprendre un nouveau polissage.

Il existe, bien sûr, plusieurs autres techniques de finition, mais les spécialistes conseillent aux amateurs de ne pas compliquer inutilement les choses et d'utiliser les techniques décrites qui assurent d'excellents résultats.

À noter. L'essence de térébenthine provoque des taches rouges sur le bois de cerisier. Pour polir un meuble en cerisier, on doit donc employer l'huile de lin bouillie seule. On peut également acheter des cires préparées si on hésite à confectionner soi-même son mélange.

Teinture. Il existe plusieurs produits qui reproduisent les teintes des divers bois. Ces produits se dissolvent dans l'alcool ou dans l'eau; plus ou moins délayés, ils donnent des couleurs claires ou foncées. Il importe, au cours de l'opération, d'employer la même solution et de l'étaler sur la surface en évitant soigneusement le chevauchement des couches. Pour être certain d'avoir la couleur désirée, il est conseillé de faire un essai sur une petite surface.

Pour obtenir un ton mat, on utilise l'essence de térébenthine pure avec le concentré de couleur.

Pour un ton légèrement brillant (la patine), on ajoute à la couleur une proportion d'huile de lin bouillie égale à celle de la térébenthine. On applique généreusement et on essuie après une quinzaine de minutes.

Pour un ton plus doux, on essuie la teinture dès qu'on a fini de l'appliquer; pour un ton plus foncé, on délaie uniquement avec de l'essence de térébenthine et on n'essuie pas immédiatement après.

L'ENTRETIEN DES MEUBLES

Ces meubles qu'on aime, avec lesquels on vit, doivent être conservés en bon état. Cernes, taches, égratignures peuvent être enlevés généralement en appliquant sur le meuble un mélange d'essence de térébenthine pure (cinq parties), d'huile de lin bouillie (quatre parties), et d'alcool de bois (une partie). Il s'agit là bien sûr d'un nettoyage exceptionnel qui ne doit pas être répété chaque semaine, mais qui, effectué une fois l'an, conserve au meuble sa bonne santé.

À noter. Ce mélange s'emploie sur le bois de cerisier, de noyer, d'érable dur, d'acajou et de bouleau. On ne doit jamais l'appliquer sur les bois à grain ouvert.

Bois ciré. Pour le dépoussiérage hebdomadaire, on utilise soit la brosse ronde de l'aspirateur, un chiffon de flanelle ou une brosse à meuble en soies souples. L'emploi de produits à vaporiser entretient le brillant et protège les surfaces. Quand le bois commence à perdre son éclat, on le réencaustique en utilisant la cire en pâte (déjà mentionnée pour les meubles lisses) ou la cire liquide pour les surfaces sculptées. On applique la cire en pâte au chiffon et la cire liquide à la brosse. Il ne faut pas abuser de cire, car à la longue elle encrasse le bois.

Taches. Les taches doivent être enlevées le plus tôt possible, car le bois les absorbe.

Taches d'eau. On frotte avec un bouchon de liège ou un tampon de laine d'acier très fine, puis on réencaustique.

Taches de café. On tamponne délicatement avec de l'eau additionnée d'eau oxygénée à 12 volumes, puis on frotte avec un papier sablé 00 et on réencaustique.

Taches d'encre. On éponge avec un buvard, on nettoie à l'eau ou à l'alcool à 90% (pour une tache au stylo à bille), on ponce à la laine d'acier et on réencaustique après séchage.

Taches de peinture. On enlève le plus gros de la tache avec la lame d'un couteau, on nettoie avec de l'essence de térébenthine, on ponce au besoin et on réencaustique.

Taches sucrées. On tamponne à l'eau tiède, on laisse sécher et on réencaustique.

À noter. Les meubles bien cirés et bien entretenus résistent mieux aux taches.

Taches blanches, égratignures. Il est possible d'atténuer — sinon de faire complètement disparaître — ces taches sans un décapage complet, avec un chiffon doux imbibé du mélange suivant (appliqué en mouvements circulaires): 65% d'essence de térébenthine pure, 20% d'alcool de bois dénaturé, 10% d'huile de lin bouillie et 5% d'acétone. Parfois, il ne faut pas se limiter à la tache mais frotter l'ensemble du panneau. On peut remplacer l'alcool par du vinaigre.

Brûlure de cigarette. Si la brûlure est profonde, il est préférable de recourir à un spécialiste qui, suivant le cas et la nature du bois, ajustera une petite pièce ou imitera un nœud.

Bois huilé. On ne cire pas les bois huilés, ils doivent rester mats. On les dépoussière au chiffon doux. Deux ou trois fois par mois, on peut les nettoyer avec un chiffon doux imprégné d'huile de lin (ou de produits analogues vendus dans les ferronneries).

Taches. On les fait disparaître de la même façon et avec les mêmes produits que pour les bois cirés.

À noter. Il faut employer avec modération les brosses électriques ou les polisseuses qui, pour être efficaces, doivent tourner au maximum à 550 tours/minute. Au-dessus de cette vitesse, les vernis chauffent, la cire fond et le meuble ternit au lieu de briller.

Pour éviter que les meubles « travaillent », on suggère de placer sous chacun d'eux, particulièrement l'hiver dans les maisons surchauffées, un plat empli d'eau, laquelle en s'évaporant humidifie le bois.

Réparations. Bien que les meubles soient tous d'aspect différent, ils ont en commun certaines fragilités comme celle de leurs pieds. Qu'il s'agisse d'armoires, de lits, bahuts, chaises, la cassure ne vient pas nécessairement d'une fatigue ou de l'âge, mais d'un accident survenu en déplaçant le meuble.

Un pied recollé dans des conditions normales est aussi solide qu'un autre si le bois est en bon état. Si le pied est cassé assez haut, on doit confier la tâche à un ébéniste. Dans un cas plus bénin, on peut effectuer soi-même la réparation. Le pied, une fois cassé, est souvent inutilisable. Il faut alors le remplacer. On trouve rarement en magasin un modèle identique et il faut choisir celui qui s'en rapproche le plus pour le resculpter. Une fois l'assemblage ajusté et le pied sculpté, on procède au collage (colle blanche).

Démontage des meubles. Les meubles massifs — armoires, bahuts, etc. — se démontent tous. Les plus anciens sont fixés par des chevilles. Les plus récents sont munis de tire-fond ce qui rend le démontage plus aisé.

Pour les meubles anciens, il faut enlever les chevilles. Elles sont souvent coniques et il faut les retirer en les chassant de l'intérieur. Souvent faites à la main, ces chevilles ne se ressemblent pas et il faut bien noter leur numéro ainsi que leur emplacement. Pour déboîter un meuble, on emploie un maillet en frappant sur la partie récalcitrante par l'intermédiaire d'une cale enveloppée de chiffons épais.

Tiroirs. Les deux parties vulnérables d'un tiroir sont la *serrure* et les *glissières*. On peut changer la serrure à condition de trouver un modèle identique, sinon il faut en adapter un nouveau. Il faut en acheter un plus grand et, avant l'achat, repérer l'emplacement du trou de la serrure, car on ne peut le déplacer que dans la mesure où la garniture dite « entrée de serrure » peut masquer le trou agrandi. C'est habituellement le ressort qui est cassé dans une serrure. Dans ce cas, il est très simple de le démonter et de le changer.

Les tiroirs fonctionnent sur deux glissières et entament à la fois la glissière et la traverse. Pour réparer une traverse entamée, il faut démonter la glissière, puis égaliser au ciseau à bois la rainure formée par l'usure sur la traverse. On refait une autre glissière, ce qui est assez simple; ce qui l'est moins par contre est l'assemblage du bout de la glissière avec le trou formé dans la traverse.

Poignées. Le changement ou la consolidation de poignées est à la portée de tout bricoleur. Il existe trois sortes de poignées: modernes (avec vis), à l'ancienne (avec deux pattes vissées) ou fixées avec clous.

Fentes dans le bois. Si les pieds d'une table se réparent assez facilement, les dessus présentent souvent des difficultés. Ainsi, les dessus de tables en bois massif sont faits d'une série de planches jointes par des rainurages. En vieillissant, le bois travaille et ces jointures s'écartent. Pour réaliser un travail bien fait, il faut démonter complètement l'assemblage, surtout quand l'écartement est important, puis on resserre les planches en complétant la partie qui manque par une bande de bois de même essence.

Lorsque la bande est mince, il est évidemment plus facile de la combler avec une petite bande en bois, taillée en coin sur toute sa longueur, qu'on enfonce dans la fente après l'avoir enduite de colle. Ce dernier procédé est surtout recommandé pour les fentes étroites et irrégulières, dues à l'éclatement du bois.

CHAPITRE V

Orfèvrerie

« Nos passions façonnent spontanément, imprévisiblement, nécessairement le futur. »
— BORDUAS, *Refus global,* 1948.

L'ARGENTERIE

Le Canada possède une longue tradition en orfèvrerie, qui remonte au XVIIe siècle. Au Moyen Âge, on désignait l'argent du signe de la lune, d'où son nom de « métal de la lune » ou « métal de Diane ». À cette époque, les mines les plus renommées étaient situées dans le Harz, au Tyrol, en Saxe, dans les régions de Jihlava et de Kutna Hora. Plus tard, on a trouvé l'argent en Bohême et en Slovaquie. De nos jours, la plus grande partie de l'argent utilisé dans le monde est extraite des mines de l'Amérique du Nord, du Mexique, du Canada, du Pérou, d'Australie et d'Espagne.

L'argent est beaucoup plus léger et moins coûteux que l'or, 40 fois moins aujourd'hui (au XVIe siècle, il valait 14 fois moins et dans l'Antiquité, 12 fois).

Il présente un inconvénient car il s'oxyde à l'air et devient brun foncé et même noir.

Alliages. En orfèvrerie, on allie l'argent à un autre métal, comme le cuivre, parce qu'on a découvert qu'il est ainsi moins mou. Un alliage argent-cuivre présente les qualités de dureté, de ductilité, de fusibilité et de malléabilité voulues.

La proportion du cuivre entrant dans l'alliage ne doit pas diminuer la valeur de l'argent. C'est ainsi qu'on a fixé des règlements indiquant sur un poinçon la teneur en métal fin (degré fin) qui est donnée au millième. Le métal fin est donc à 1000/1000, ce qui correspond pour l'argent à 16 deniers. Pour l'argent, on utilise en principe 13 deniers (812/1000). Le titre maximum pour l'argent est de 15 deniers. Après, il cesse d'être appliqué à l'orfèvrerie.

Techniques de travail. L'argent se travaille à chaud ou à froid (comme l'or et le cuivre).

La fonte. L'argent est fusible et on peut ainsi exécuter le moulage par des procédés analogues à ceux en usage pour la fonte du bronze. Avant de fondre le métal, l'orfèvre doit d'abord confectionner un modèle

Vase d'eau baptismale,
hauteur $3^2/_5$ pouces,
Paul Morand, Montréal,
1775-1856.
(Collection Henry Birks
d'argenterie canadienne)

Les poinçons attribués à Paul Morand
et à Paul Morin
se ressemblent beaucoup,
de sorte qu'il est difficile d'identifier
l'œuvre de chacun de façon positive.
D'autre part, on ne trouve
le poinçon « P.M. » sur aucune des pièces
destinées au commerce
avec les Indiens et pourtant les ateliers
de la plupart des maîtres artisans
de cette époque consacraient une bonne partie
de leur activité à ce commerce.
(Nos orfèvres nous sont contés,
Canadian Industries Limited, 1970)

Encensoir, hauteur 10¾ pouces,
Laurent Amiot,
Québec, 1764-1838.
(Collection Henry Birks
d'argenterie canadienne)

Laurent Amiot, qui est censé avoir été pendant
quelque temps apprenti chez
François Ranvoyzé,
travailla en France de 1782 à 1786.
Il revint à Québec pour y fonder son propre atelier et fut
le premier d'une succession d'orfèvres
allant jusqu'à Ambroise Lafrance
qui prit sa retraite en 1908.
(Nos orfèvres nous sont contés,
Canadian Industries Limited, 1970)

Tabatière, Laurent Amiot, Québec, 1764-1838. (Collection Henry Birks d'argenterie canadienne)

Théière, 6 3/8 par 11 1/2 pouces, Robert Cruickshank, Montréal, 1767-1809. (Collection Henry Birks d'argenterie canadienne)

Bien qu'ils n'aient pas été aussi étroitement liés
que la succession Amiot-Lafrance de Québec,
il y eut tout de même à Montréal
une lignée d'artisans qui allait de Robert Cruikshank
jusqu'à la maison Henry Birks & Sons
que nous connaissons encore de nos jours.
À travers les apprentissages,
les associations et la participation aux ateliers,
Robert Cruikshank,
les familles Bohlé et Grothé, Robert Hendery
et John Leslie furent tous liés les uns aux autres.
(Nos orfèvres nous sont contés,
Canadian Industries Limited, 1970)

Ciboire d'une hauteur de 9 pouces. François Ranvoyzé, Québec, 1739-1819. (Collection Henry Birks d'argenterie canadienne)

Ostensoir, hauteur 21 3/4 pouces, Salomon Marion, Montréal, 1782-1832. (Collection Henry Birks d'argenterie canadienne)

François Ranvoyzé naquit à Québec en 1739
et c'est là qu'il mourut,
en 1819, selon les archives de l'état civil de Notre-Dame.
Il a été l'un des plus grands artistes de son époque,
qu'il a largement influencée.
Tout en exécutant les dessins traditionnels
du dix-huitième siècle,
il mit au point une technique remarquable
pour l'argent martelé,
technique qu'il utilisa surtout dans les motifs de fleurs
et de fruits qu'il affectionnait.
(Nos orfèvres nous sont contés,
Canadian Industries Limited, 1970)

Salomon Marion naquit à Lachenaie, au Québec,
mais c'est à Montréal qu'il exerça son art.
Avant d'ouvrir son propre atelier,
il travailla comme apprenti pendant cinq ans
auprès de Pierre Huguet dit Latour.
Son activité se poursuivit durant toute la première partie
de cette ère prospère que fut l'époque victorienne.
Une bonne partie de son œuvre
a été retrouvée et, à côté d'objets du culte
exécutés selon les motifs traditionnels,
il développa, dans l'argenterie
d'usage domestique, un style très individuel.
Ces pièces sont remarquables
tant par leur qualité que par leur dessin.
(Nos orfèvres nous sont contés,
Canadian Industries Limited, 1970)

Pichet, 9 1/2 pouces de hauteur,
Robert Hendery,
Montréal, 1837-1897.
(Collection Henry Birks
d'argenterie canadienne)

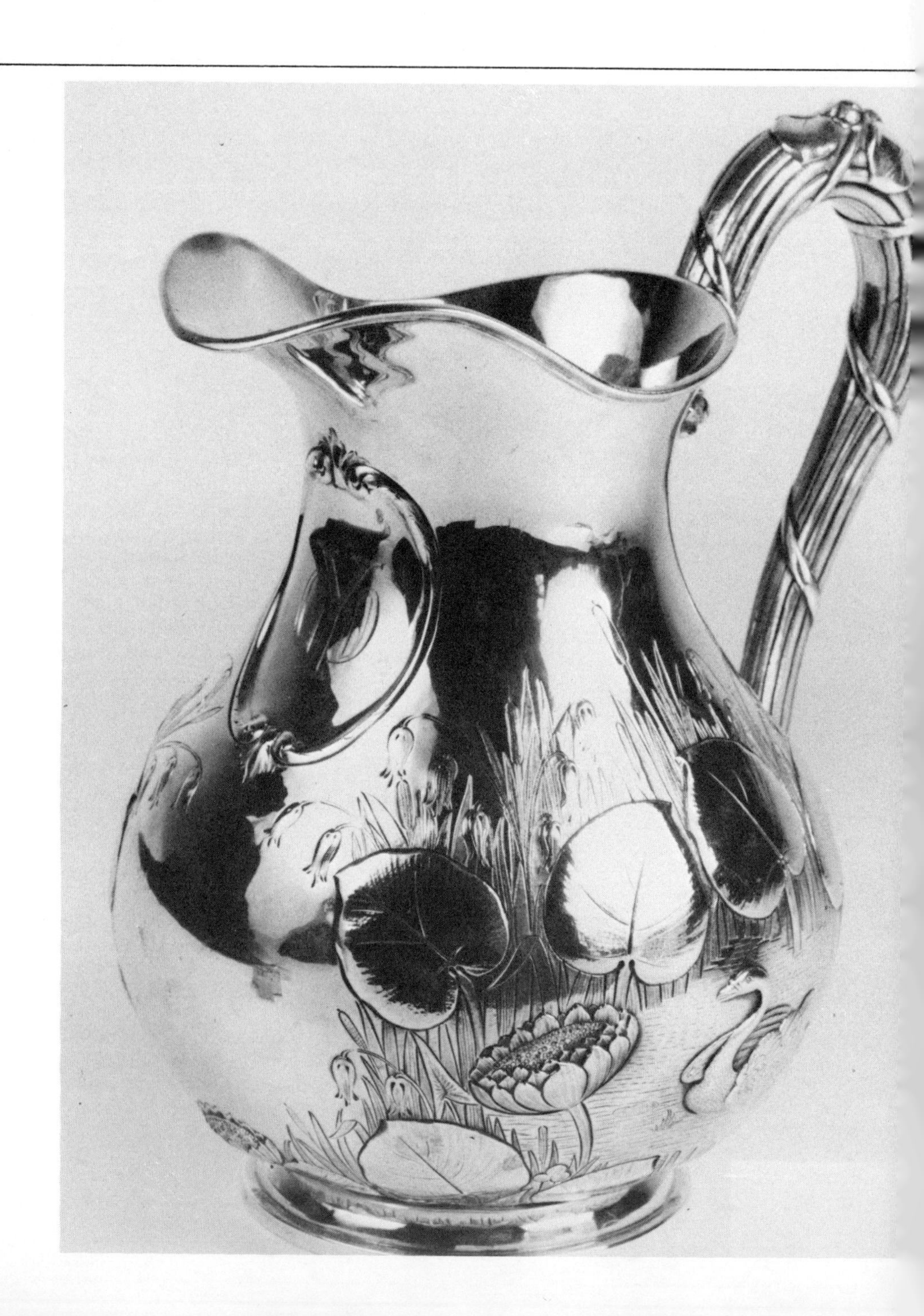

C'était la coutume chez les artisans
des années 1800 d'appliquer leur poinçon de maître
puis leur propre poinçon de garantie
et d'ajouter ensuite la marque du marchand.
Ainsi, le lion acculé sur ovale
et la tête de souverain sur écartelé à angles cornés,
soit les poinçons de Hendery & Leslie,
associés à l'étampe « Savage »,
indiquaient que l'argenterie
avait été exécutée pour le marchand George Savage
dans les ateliers de Hendery & Leslie.
(Nos orfèvres nous sont contés,
Canadian Industries Limited, 1970)

en cire, en plomb, en cuivre ou en bois. Les pièces massives, anses, poignées, manches, sont moulées au sable. Pour les motifs répétés, on utilisait à l'époque un seul modèle: il s'agissait de le presser plusieurs fois à la suite dans le sable de moulage. Les moulages galvanoplastiques ont été inventés au XIXe siècle. Ils s'obtiennent par des moyens physiques et chimiques.

Le repoussage. C'est la technique d'orfèvrerie la plus originale, la plus artistique, mais aussi la plus délicate. On peut battre l'argent et obtenir une feuille mince sans que le métal perde de sa résistance et de son élasticité. Les objets d'une seule pièce réalisés au repoussé sont les plus beaux du genre. Il est beaucoup plus facile de travailler plusieurs pièces que l'on assemble ensuite par soudure.

L'estampage ou travail à poinçon. Le motif et tous les détails sont frappés à l'aide de coins sur une face, dans la masse du métal. Ce n'est qu'à la fin du XVIIIe siècle que l'usage de la presse et de l'étampage mécanique s'est généralisé.

Techniques de décoration. Les deux plus importantes sont la ciselure et la gravure.

C'est un nommé Alfred E. Jones qui, le premier, a attiré l'attention des gens sur ces très belles pièces d'orfèvrerie qui étaient presque toujours, à cette époque (il y a plus de 200 ans), des objets liturgiques. On s'est alors rendu compte que ces magnifiques réalisations n'étaient pas uniquement dues à des orfèvres européens mais que leurs créateurs étaient canadiens. Plusieurs pièces, datant d'avant 1867, sont signées par des orfèvres canadiens. Les plus connus avaient reçu leur formation en France et transmirent leur art à leurs fils et à leurs apprentis. Plus tard, des orfèvres réputés vinrent d'Angleterre et firent également école.

Michel Lessard indique dans son « Encyclopédie des Antiquités du Québec »[1] qu'au XVIIe siècle, peu de noms connus apparaissent dans les archives, sauf ceux de Villain et de Desaballes, qui auraient exercé leur art à Québec. Mais deux maîtres célèbres, François Ranvoyzé et Laurent Amyot ont marqué la fin du XVIIIe siècle, période la plus importante de l'orfèvrerie chez nous. Le Musée du Québec possède certaines de leurs œuvres profanes et religieuses. Les antiquaires et les collectionneurs sont d'avis que ces pièces sont à peu près introuvables et que, si la chance favorise un amateur, il doit s'attendre à payer un prix astronomique. Outre ces deux maîtres, d'autres orfèvres ont travaillé à Québec et à Montréal. Ce sont Arnoldi, d'origine allemande, Peter Bohle, Pierre L'espérance, Robert Cruickshank, Pierre Huguet dit Latour. Ils ont réalisé de nombreuses pièces de vaisselle orfévrée et d'objets liturgiques remarquables à cause de cette façon très minutieuse de traiter l'argent.

---

1. Éditions de l'Homme.

Les premiers orfèvres avaient choisi de s'établir dans les villes de Québec et Montréal. On constate que leurs travaux varient par la fantaisie de leurs formes et de leurs décorations. À Québec, on avait tendance à recopier les œuvres du chef d'atelier, Laurent Amyot, lequel continuait l'œuvre de son maître, Ranvoyzé. Amyot créait des œuvres simples et massives comparativement aux créations raffinées de Ranvoyzé. À Montréal, par contre, les orfèvres subissaient plusieurs influences et leur production est plus diversifiée.

La dernière partie du XIXe siècle marque un ralenti déplorable de la production artisanale des orfèvres. Des artisans comme Morand et Marion, élèves de Latour, ont fourni un certain nombre d'œuvres très variées par leur décoration et leurs dimensions.

Entre 1844 et 1862, Peter Bohle apporte une contribution importante et ses œuvres, signées de ses initiales P. B., permettent de les retracer. Plus tard, il se joindra à Robert Hendery et ils produiront ensemble des services à table d'argent massif, marqués P. B. & R. H.

Cette époque marque la fin d'une orfèvrerie artisanale et voit l'arrivée de l'argent massif et plaqué, en provenance d'Angleterre et des États-Unis.

Avec l'arrivée des procédés galvanoplastiques et l'expansion des moyens mécaniques de fabrication, le marché a été rapidement envahi par des produits imitant tous les styles anciens. Les œuvres ayant une réelle valeur artistique ne furent désormais que des phénomènes isolés, comme cela se produisait d'ailleurs en Europe.

CONSEILS AUX COLLECTIONNEURS

C'est le rêve de tout collectionneur de posséder une pièce d'orfèvrerie authentique. Encore une fois, il n'est pas inutile de répéter qu'elles sont très rares et très coûteuses. Tout comme pour le mobilier, il est essentiel de posséder quelques notions de base. Se rappeler, par exemple, que l'élément décoratif n'est pas un critère de la date de fabrication. On peut voir des motifs d'inspiration française du XVIIIe siècle qui, selon les experts, appartiennent plutôt au XVIe. On explique cela par le fait que les acheteurs qui commandaient des pièces aux orfèvres canadiens les désiraient identiques ou copiées sur celles qu'ils avaient déjà vues.

Bien qu'une partie des pièces québécoises soient signées, celles des artisans du Régime français ne sont marquées que d'initiales ou de motifs (étoile, fleur de lys, etc.). Ce n'est qu'après 1880 que les initiales apparaissent vraiment.

Au début du XIXe siècle, on peut souvent identifier la provenance des pièces par les lettres Q ou M, selon que l'artisan travaillait à Québec ou à Montréal.

Ce n'est que vers 1830 que les orfèvres d'ici commencèrent à imiter leurs confrères anglais en se servant de poinçons ou d'emblèmes représentant des animaux, comme le lion, le castor, etc.

À noter. On doit se méfier des marques de faux poinçons ou de marques gravées ou ciselées. La couleur du métal, son oxydation doivent être égales partout. Les produits de placage, fabriqués industriellement depuis 1840, ne sont pas très intéressants, d'après les spécialistes, quand le cuivre apparaît. Il est inutile de les replaquer par galvanoplastie pour essayer de les récupérer. Ce procédé les endommage définitivement.

L'ENTRETIEN

On recommande d'essuyer les objets en argent avec un chiffon de flanelle et de procéder avec beaucoup de précaution. Pour les nettoyer, on doit éviter tout procédé mécanique qui les abîmerait. Il est donc préférable — quand on a la chance de posséder une pièce d'argent authentique — de confier celle-ci à un spécialiste quand elle a perdu son aspect brillant.

Une pièce d'argenterie, qui n'a pas été totalement oxydée, se conserve aussi bien qu'une porcelaine ou une poterie fine. On la nettoie avec un peu d'eau savonneuse, une eau tiède de rinçage et un linge doux pour essuyer délicatement. On peut même parfois faire disparaître les traces d'oxydation en ajoutant un peu d'ammoniaque à l'eau savonneuse ou en employant un produit commercial pour nettoyer l'argent.

OÙ ET COMMENT SE RENSEIGNER

Le premier ouvrage spécialisé dans ce domaine a été publié en 1940.[1] Puis, en 1960, John E. Langdon, fervent collectionneur et recherchiste infatigable, publiait son livre[2], maintenant introuvable ailleurs qu'en bibliothèque. En 1968, il publie à nouveau, en édition limitée, un ouvrage intéressant[3], avec photos de pièces d'argenterie et explications concernant les marques et poinçons. La maison d'éditions Ryerson a condensé les principaux chapitres de cette étude et les a publiés en livre de poche.[4] On trouve dans ce livre plusieurs noms de joailliers, bijoutiers et orfèvres qui n'étaient pas des créateurs, mais d'habiles artisans ayant appris leur art en accomplissant les travaux de réparation qu'on leur confiait. Ces artisans ont fabriqué des cuillères, des bagues et bracelets, des anneaux de serviettes, etc.

Enfin, il y a l'excellent livre de Doris et Peter Unitt.[5]

---

1. *The Old Silver of Quebec*, Ramsay Traquair, McGill University (The Art Association of Montreal).
2. *Canadian Silversmiths and their marks, 1667-1867.*
3. *Canadian Silversmiths, 1700-1900.*
4. *A guide to marks on early Canadian silver.*
5. *Canadian Silver, silverplate and related glass.*

Musées et endroits historiques. On peut se familiariser avec les pièces d'argenterie en visitant les musées, comme le « Royal Museum » d'Ontario qui consacre toute une section aux pièces les plus représentatives de notre orfèvrerie, comme des pièces des collections privées Henry Birks et John E. Langdon.

Le Musée des Beaux-Arts de Montréal, l'Archevêché de Québec, le Musée de la Nouvelle-Écosse et celui du Nouveau-Brunswick possèdent tous des pièces d'orfèvrerie qui témoignent de la valeur des artisans qui les ont créées.

Le Musée national du Canada possède une collection de la production indienne, dite « argenterie de traite », que les trappeurs et coureurs de bois recevaient en échange de fourrures.

On trouve au Musée McCord de Montréal des œuvres réalisées à partir de pièces de monnaie fondues.

CHAPITRE VI

Verre, faïence et céramique

« On a, de tout temps, chez nous, fabriqué de la poterie... Madame, j'ai des terrines à vendre. Eh! la pourceline qui pourcelle. Venez acheter notre pourceline... »

— MARIUS BARBEAU

LE VERRE

L'Histoire rapporte que le verre a été découvert par hasard en Égypte. Le verre est devenu partie intégrante de la vie quotidienne et on oublie la complexité de ses propriétés. Pour le verrier, par contre, il est le résultat d'un processus chimique et physique complexe qui confère au matériau une forme vivante réagissant à chacune de ses interventions. Les techniques de fabrication du verre sont maintenant industrielles, mais l'art du verre constitue au Canada l'une des plus importantes étapes des métiers artisanaux et industriels au XIXe siècle.

On classe généralement le verre en quatre catégories: le *verre à soude:* entrant facilement en fusion, souple, il est facile à travailler et il est clair et pur; le *verre à la potasse:* il fond moins bien que le précédant, il est dur, moins plastique et plus difficile à façonner, a beaucoup d'éclat; le *verre à plomb,* l'oxyde de calcium y est remplacé par de l'oxyde de plomb, plus élastique, il fond bien mais est lourd, il se caractérise par un très grand éclat et par son pouvoir de décomposer les rayons de la lumière dans les couleurs de l'arc-en-ciel; le *verre de couleur à base de potasse et de soude possédant une légère nuance bleu-vert (verre à bouteille):* pour colorer la masse de verre, on se sert généralement d'oxydes métalliques que l'on ajoute au mélange, soit avant la fusion, soit au cours de celle-ci. Les divers composés du fer donnent alors une couleur bleu-vert.

On a d'abord fabriqué des verres de soude et de potasse pour ensuite améliorer la production au milieu du XIXe siècle.

Au Québec, la première fabrique de verre a été celle de la Seigneurie de Vaudreuil. Il semble que les premières fabriques de verre aient connu de nombreuses difficultés qui les obligeaient souvent à changer de propriétaires, comme l'Ottawa Glass Works qui devint la British American Glass ou encore la Montreal Glass Works Company qui devint la Canada Glass Works Company. En 1867, Montréal fut un centre important de production de verre, quand la Saint Lawrence

Glass Company s'y installa. Entre 1878 et 1913, les compagnies s'installent, changent de propriétaires et continuent à survivre tant bien que mal.

Le verre québécois a été influencé par des articles fabriqués en Ontario, en Nouvelle-Ecosse et aux États-Unis, car on utilisait les mêmes moules de base dans les différentes usines. C'est ce qui explique pourquoi on retrouve chez les antiquaires des articles d'inspiration américaine.

Pour se renseigner davantage sur cette industrie du verre, relativement peu connue, il faut absolument lire l'ouvrage de Gerald Stevens[1]. On peut également voir des articles de verre de la première période au « Royal Museum », d'Ontario.

Identification. Il est assez difficile de distinguer le verre ancien du plus récent. Les spécialistes recommandent un examen minutieux, à la lumière du jour. Il faut considérer le style, la couleur, la forme et les décorations, le poids et le son qu'il donne lorsqu'on y frappe un doigt. Au Québec, on a surtout fabriqué le verre coloré.

Un organisme commandité par la Dominion Glass Company ainsi qu'un bulletin d'information « News Letter » indique toutes les plus récentes publications concernant le verre et fournit des renseignements sur toutes les études récentes touchant le verre ancien canadien ou autre. On peut écrire à Glasfax, C.P. 190, Montréal 101, P.Q. (M. Tom King).

Conseils pratiques

Conservation. Le verre ancien n'a pas l'éclat et la transparence du verre moderne. L'art du verrier d'autrefois était peut-être moins perfectionné que celui d'aujourd'hui. On recommande donc de ne pas exagérer le nettoyage des verres ou articles anciens et de conserver cette précieuse patine.

On doit protéger le verre contre l'humidité, les brusques changements de température ou une exposition prolongée au soleil. Il est préférable de ne pas le mettre dans une vitrine. S'il arrive qu'un verre se brise, il est préférable de s'adresser à un spécialiste pour le recoller. S'il s'agit d'un objet de grande valeur, on peut s'adresser au restaurateur d'un musée ou à un spécialiste des arts appliqués. Il existe des colles translucides spécialement conçues pour le verre, mais si les spécialistes recommandent de ne pas tenter soi-même de recoller un article en verre, c'est que ces colles avec durcisseur réparent si bien, qu'au cours d'essais de résistance sur la tige d'un verre à pied, la cassure se fait à côté du collage.

Le verre est un matériau difficile à recoller et cette colle avec dur-

1. « In a Canadian Attic ».

cisseur doit être employée sous une température minimum de 15 degrés, sinon le durcisseur perd ses qualités et la pâte reste molle indéfiniment.

Nettoyage du verre. C'est surtout l'intérieur d'un objet de verre qui est particulièrement difficile à nettoyer. On peut se servir d'une brosse à biberons ou d'un pinceau à poils durs, mais la méthode dite du « goupillon » est encore la meilleure. Il faut tout d'abord mettre du gros sel dans le morceau à nettoyer, puis l'emplir d'eau. On nettoie et on rince. Pour ajouter plus d'éclat, on rince l'objet dans de l'eau tiède à laquelle on ajoute un demi-verre de vinaigre de vin.

Maladies du verre. Il n'est pas rare de voir du verre terni ou craquelé. L'origine de ce phénomène est hautement scientifique et le résultat est une maladie qu'on ne peut guérir, mais qu'on peut tenter d'atténuer. Pour ce faire, on trempe le morceau (à condition qu'il ne soit pas peint) dans un bain traitant de 5% d'acide nitrique et on passe ensuite sur la surface une couche de métacrylate pur. Ce procédé renforcit le verre.

Les miroirs. Si on possède un miroir ancien un peu détérioré, il ne faut surtout pas chercher à le rénover. Son aspect terne, et même certaines piqûres, font son charme et sa valeur. Pour nettoyer une glace ancienne — la plupart étant encadrées — on doit employer des produits qui ne pénètreront pas entre la glace et le cadre, ce qui élimine évidemment toute poudre nettoyante. Pour protéger la glace, on conseille d'appliquer un feutre adhésif sur le placage en bois et de faire dépasser la doublure du feutre de façon à ce qu'elle adhère sur le cadre.

Lampes au kérosène et lampes bougeoirs. On s'est intéressé à l'art de faire du feu et de la lumière à partir du moment où il fallut cuire les aliments et vaincre l'obscurité.

Les premières lampes étaient de roche, type d'ailleurs encore utilisé par les Esquimaux. On est ensuite passé de la roche au métal, puis on s'est mis à fabriquer des veilleuses à main. Ces dernières sont malheureusement introuvables de nos jours, ayant été transformées ou jetées. Après la veilleuse à main, ce fut la veilleuse sur chandelier. Puis, on conserva l'idée du chandelier mais la veilleuse disparut complètement. Les chandeliers étaient fabriqués de bois, de pierre, de faïence, de verre ou divers métaux. Ceux qu'on retrouve le plus sont les chandeliers sculptés ainsi que ceux aux poignées de tôle qui s'inspiraient du premier chandelier mais auxquels on ajoutait plusieurs bras.

En 1858, une nouvelle lampe apparut: la lampe à l'huile ou au kérosène. Ces lampes sont fort recherchées par les collectionneurs. Le verre de ces lampes est très opaque, donnant quelquefois l'illusion de la porcelaine. Il n'y a pas si longtemps, chaque maison — surtout dans les régions rurales — possédait sa lampe à l'huile. On les suspendait à des chaînes de différentes hauteurs. Certaines étaient de verre coloré ou fabriquées de tourbillons colorés, parfois on les décorait de motifs, tels que prismes, perles ou encore de ce fameux « œil de bœuf ». Cette lampe à motif « œil de bœuf » est toujours très populaire. On la trouve dans une grande variété de styles, de grosseurs et de couleurs. Ces lampes sont exécutées dans un verre clair ou coloré en vert ou d'un bleu profond ou de verre plus opaque, parfois le pied est complètement différent du globe. Les styles varient de la petite lampe à main à la lampe plus importante sur table. La Dominion Glass en a fabriqué plusieurs au début du XXe siècle, de même que des lampes-bougeoirs en verre clair, avec une base ornée d'un motif en éventail, de fabrication typiquement montréalaise.

À noter. Toutes ces sortes de lampes fabriquées au Canada datent du XIXe siècle.

CE QU'ON TROUVE

Verre carnaval: de couleurs variées, formes plutôt fluides, orné de fruits ou d'animaux. Ce verre est de fabrication américaine, mais fut très populaire au Québec au début du XXe siècle.

Verre clair pressé: orné ou décoré de pointes à diamant ou de motifs de fleurs et de fruits. La plupart ont été fabriqués dans les Maritimes au début du XXe siècle. Certaines pièces, comme les compotiers, bonbonnières, sont en deux sections bien distinctes: un bol décoré et un pied uni.

Porte-lampion: en verre coloré bleu ou rouge, de fabrication montréalaise, de la fin du XIXe siècle.

Salière, poivrière, sucrier, pot à lait: en verre opalin. Fabriqués pour la plupart à la Burlington Glass Works Company, d'Ontario. Plusieurs de ces pièces sont stylisées ou garnies de rayures et embossées. Elles datent de la fin du XIXe et du début du XXe siècle.
On trouve également des salières et poivrières, en verre clair et à couvercle d'étain, fabriquées par la Dominion Glass Company. Ces articles se retrouvent d'ailleurs dans la plupart des maisons du XXe siècle.

Verre à boire: Plus difficile à trouver, il est fort recherché par les collectionneurs. De facture typiquement québécoise, il est orné de personnages historiques.

Pot à conserve, éprouvette de laboratoire: En verre clair pressé, fabriqué par la Dominion Glass, au début du XXe siècle, et par la Burlington Glass Works Company, vers la fin du XIXe siècle. Il faut mentionner particulièrement les pots à confitures de la Beaver Flint Glass Company, de Toronto, uniques par leurs décorations d'un castor, d'une bille de bois et du terme « Beaver ». Ces pots sont encore très en demande.

Très populaires également, divers articles de verre opalin laiteux. Plusieurs pièces blanches moulées sont décorées de fleurs de lys, de spirales et proviennent de la Burlington Glass Works, d'Ontario. On en trouve beaucoup au Québec.

Bouteille ancienne: de couleur aigue-marine, elle date du début du XXe siècle. De fabrication canadienne, elle aurait été fabriquée à la Como Glass, de Québec.

On trouve également des assiettes à l'effigie de la reine Victoria, des pots à eau, des beurriers et assiettes à dessins quadrillés venant particulièrement des provinces maritimes.

POTERIE ET FAÏENCE

Dès les débuts de la colonie jusqu'à maintenant, la poterie a connu des artisans exceptionnels. D'abord influencés par les potiers anglais (britanniques), nos potiers se sont peu à peu dégagés des influences pour créer des pièces typiquement québécoises.

Les premières poteries étaient avant tout utilitaires: terrines, cruches, assiettes. Elles étaient également très rustiques. Il y a une nette différence entre nos pièces plutôt de teinte ambrée, et la porcelaine blanche des potiers britanniques ou américains.

L'évolution de la poterie, tant sur le plan esthétique que technique, a été très rapide.

Le nom des Dion, de l'Ancienne-Lorette (près de Québec), est intimement lié à l'histoire de la poterie. Ils ont créé des pièces remarquables comme leurs plats d'argile rouge glacés, vernissés et tachetés de vert. On trouve encore certaines de ces pièces chez les antiquaires.

Avec l'arrivée des potiers Farrar (américain), Belle (écossais) et Howison (anglais), la poterie artisanale s'est peu à peu industrialisée. L'installation de Farrar près de Saint-Jean, sur le Richelieu, a marqué une étape importante dans l'histoire de la poterie. En effet, à partir de ce moment, les articles ont été plus raffinés, fabriqués avec la glaise locale mélangée à celle importée des États-Unis.

La couleur varie du vernis marron très vitrifié au jaune-gris lustré. Farrar estampillait ses articles « E. L. Farrar », « St. John » ou « Iberville ».

La fabrique de poterie de Cap Rouge fut aussi l'une des plus importantes. On y fabriquait notamment des plats et bols, pichets et théières. Des dessins représentant des scènes bibliques décoraient ces pièces québécoises. On retrouvait ces mêmes dessins sur les poteries de Brantford, en Ontario, de même que sur celles de Farrar. Deux vernis différents étaient utilisés à la fabrique de Cap Rouge. Pour les bols, plats et jarres, un vernis à base de plomb donnait aux pièces une teinte dorée ou légèrement verdâtre. L'autre vernis, employé pour les pièces de qualité, était plus sobre, d'une couleur très près du brun. Les pichets avaient souvent des décorations très élaborées, tels des hérons au milieu de plantes aquatiques. Les dessins les plus courants étaient quand même les emblèmes nationaux.

Ceux qui s'intéressent à la poterie ont sans doute déjà vu chez des antiquaires des pièces venant de la région de Portneuf, dont la couleur varie du gris au beige-crème, avec des motifs allant du bleu au vert, en passant par le rouge. Rien ne prouve cependant que ces pièces provenant de Portneuf soient réellement de facture québécoise, puisque les motifs sont typiquement écossais ou anglais. Les connaisseurs recommandent de se méfier des prix trop élevés pour ce type de poteries.

C'est vers la fin du XVIIIe siècle et au début du XIXe siècle que la vaisselle d'étain et de terre d'argile a été remplacée par la céramique anglaise. Avec un peu de chance, on trouve encore de ces pièces de céramique anglaise dont se servaient nos grands-mères. La rareté du « Staffordshire » a fait monter en flèche le prix de ces poteries qui ont réussi à se créer une renommée mondiale vers 1860. La gamme des couleurs utilisées, les « vieux bleus », leur moulage, et surtout leur résistance, ont largement contribué à cette réputation. On y retrouve des scènes québécoises ou canadiennes, et même des paysages de Montréal, car les industriels britanniques n'oubliaient pas le marché colonial canadien.

Il est encore possible d'acquérir une pièce anglaise ou écossaise que les importateurs mirent sur le marché vers la fin du XIXe siècle et au début du XXe. On reconnaît ces pièces à leurs décorations: feuille d'érable, monuments québécois, sports pratiqués à cette époque.

Les spécialistes conseillent la prudence et mettent les collectionneurs en garde contre les imitations, très nombreuses. On peut vérifier l'âge et l'authenticité d'une pièce en examinant attentivement l'estampille. Ce n'est qu'après 1890 que l'estampille « made in » fit son apparition. Avant, il n'y avait que l'estampille du manufacturier ou de l'importateur.

Conseils pratiques

La poterie et la faïence, pourtant très fragiles, sont assez faciles à rafistoler. Il s'agit, en général, de réparations courantes, où les connaissances des spécialistes sont superflues.

Les colles modernes aux résines époxydes remplacent avantageusement celles employées auparavant. L'objection contre l'emploi de ces colles pour la poterie et la faïence est la même que pour le verre: la trop grande dureté de ces colles rend parfois difficile une restauration définitive. À cette objection, on peut toutefois opposer un avantage certain: l'objet — même cassé en plusieurs morceaux — réparé avec une colle à résines époxydes, résonne exactement comme un neuf. (On fait le même test que sur le verre, avec l'ongle sur le bord de la pièce, pour vérifier si le son est « clair » ou pas.)

Poteries. Si une poterie est authentique et ancienne, il est conseillé de ne pas chercher à masquer la réparation, surtout quand il s'agit de poteries en terre non vernissées.

Pour réparer une poterie cassée, on emploie une colle avec dur-

Cruche à deux anses, en terre rouge, d'une capacité de cinq gallons. Probablement du début du XIXe siècle. (Collection Raynald Saint-Pierre)

Terrine en terre cuite fabriquée par les Dion de l'Ancienne-Lorette. (Collection Robert-Lionel Séguin)

Cruche à motif de couleur bleue attribuée à Farrar. Le dessin montre un caribou derrière un arbre. Inscription: James A. Queen, Champlain Market, Québec. (Collection Raynald Saint-Pierre)

*Poteries Farrar,
de Saint-Jean-d'Iberville
(sauf celle du milieu, à droite).
(Collection Robert-Lionel Séguin)*

Cruche et tinette faites par Farrar à Saint-Jean-d'Iberville, (Collection Robert-Lionel Séguin)

Pot à eau à bandes vertes et noires, orné d'un câble en relief. Marqué Ironstone China, St. John, P.Q. (Collection Raynald Saint-Pierre)

Pot à glace fabriqué par les Farrar à Saint-Jean-d'Iberville. (Collection Robert-Lionel Séguin)

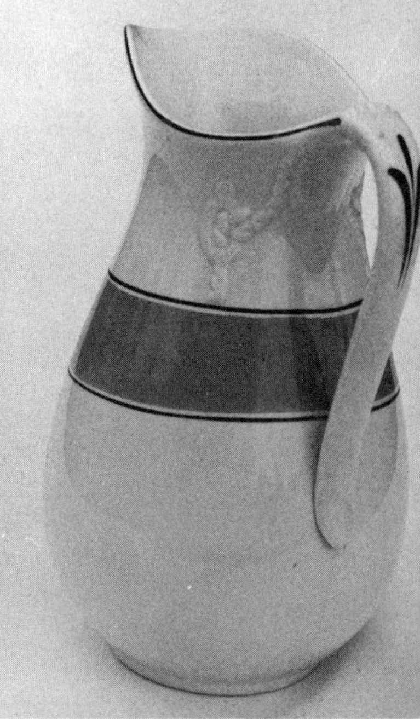

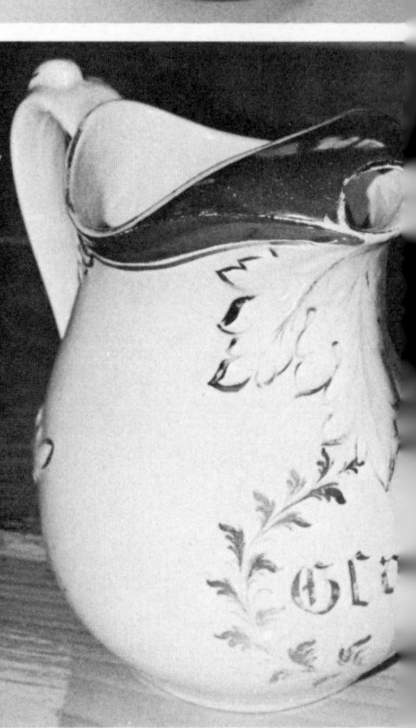

Service de toilette, seconde partie du XIXe siècle.
(Collection Robert-Lionel Séguin)

Magnifique pot à eau avec dessins en relief. Bol assorti.
(Le Patriote Antique, Montréal)

Pot à peignes en faïence de fabrication québécoise ayant appartenu à la seigneurie de Vaudreuil. Cet article faisait partie d'un ensemble de toilette comprenant treize pièces. Fin du XIXe siècle. (Collection Michel Sainte-Marie)

Pot à eau ayant fait partie d'un ensemble de toilette en faïence blanche. Vers 1900. (Collection Michel Sainte-Marie)

À gauche et à droite, contenants en grès utilisés par les marchands pour vendre divers produits comestibles. Au centre, chauffe-pieds en grès de fabrication anglaise vendu par Eaton. (Collection Michel Sainte-Marie)

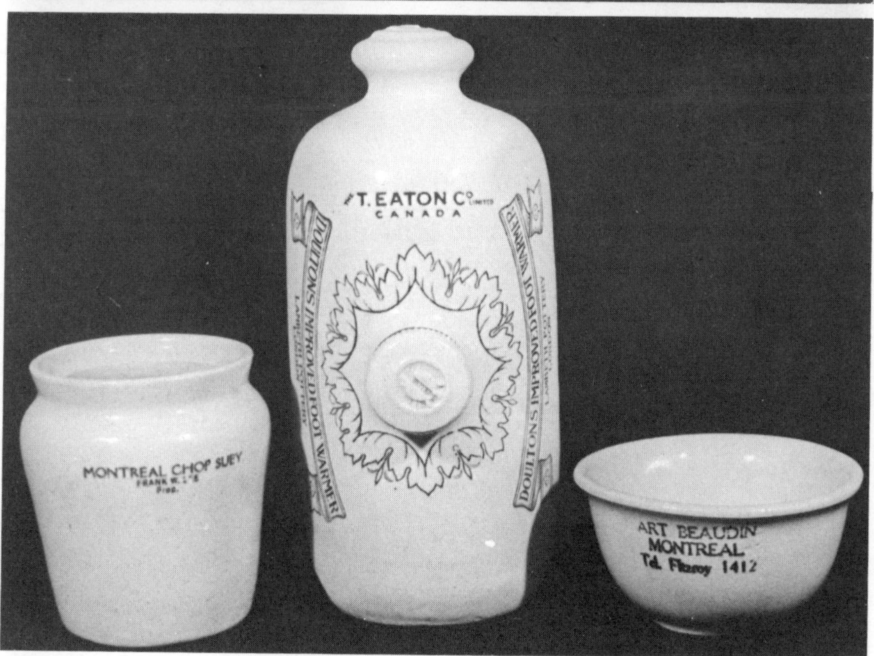

Assiettes de faïence
à l'effigie de
Sir Georges-Étienne Cartier
et de Sir Wilfrid Laurier. 1910-1920.
(Collection Michel Sainte-Marie)

Pots à conserves en verre.
Vers 1900.
(Collection Michel Sainte-Marie)

Jarres à bonbons
utilisées chez un marchand général.
Vers 1900.
(Collection Michel Sainte-Marie)

Véritable lampe Tiffany
dont la base est en laiton ainsi que les parures
ornant le globe de verre opaque.
À gauche: plafonnier
en forme de lampe à l'huile.
La monture est également
de laiton et comporte des parures en laiton forgé.
(Le Patriote Antique, Montréal)

cisseur. S'il s'agit d'une cassure récente, on enduit les parties de colle, on remet ensemble, puis on resserre pendant 12 heures, on enlève les bavures avec un couteau et on lime l'excédent. Les cassures anciennes se joignent généralement mal et on recommande d'employer des pâtes spéciales — avec durcisseur — pour combler les vides. On dépose la pâte sur la partie manquante, puis on comble généreusement. On laisse sécher de trois à six heures. On teinte ensuite à la gouache dans le ton de la poterie et, si nécessaire, on vernit.

Faïences. Comme pour la poterie, le procédé est relativement simple. On emploie également des colles avec durcisseur. On enduit chaque partie à coller d'une couche mince, mais très régulière. S'il reste des traces de colle d'une réparation antérieure, il faut gratter avec le plus grand soin. Avant de commencer l'opération, il faut savoir comment on réunira les pièces. On conseille d'utiliser du ruban adhésif médical, le seul qui soit perforé (laissant une certaine aération) et élastique. On peut également employer des pinces à linge. Comme il est très difficile de gratter les bavures, une fois durcies, on doit veiller à ce qu'elles ne débordent pas sur la partie qui sera collée en dernier, ce qui nuit au moment d'ajuster les morceaux.

Il existe sur le marché des soudures à froid pour faïences. Elles agissent comme une pâte pour combler les parties manquantes.

Il ne faut jamais oublier que l'objet à réparer doit garder sa forme et qu'une épaisseur de pâte, entre les deux parties d'un plat, par exemple, risque de le déformer. Ainsi, pour réparer un plat en deux fois, on commence par les parties qui s'encastrent facilement, en les collant soigneusement, puis on comble les trous avec la pâte. Parfois, quand on apporte une pièce à un restaurateur, il jugera bon de poser une agrafe pour éviter que le plat ne se recasse au même endroit. La solidité des produits actuels rend, la plupart du temps, cette technique superflue.

En principe, on ne doit pas teindre les réparations, car cela peut passer pour du maquillage. Toutefois, si une partie comblée coïncide avec un motif, on peut refaire ce dernier avec des raccords de pinceau et à la gouache avant de vernir les parties mates.

Entretien. Il va sans dire que les poteries et faïences doivent être rangées soigneusement, à l'abri de la poussière et des accidents. Leur entretien est très simple. On les lave avec un détergent à vaisselle et on rince à l'eau très chaude, puis on les assèche. On les frotte ensuite avec de la ouate ou un chiffon imbibé d'alcool à brûler. On fait brûler après évaporation. Il est préférable d'effectuer ce lavage dans un récipient en plastique ou dans un évier dont on garnit le fond d'une serviette pour éviter les chocs.

CHAPITRE VII

Étain et ferronnerie

« Cette petite industrie domestique ne profitait pas seulement à l'économie mais elle perpétuait les métiers transmis et elle entretenait partout l'habileté manuelle et l'initiative, partout le talent. Elle rendait aussi la vie plus intéressante. »

— MARIUS BARBEAU

ÉTAIN

L'étain est un métal gris argenté, d'un brillant mat et de consistance molle. Il est très malléable et appartient au groupe des métaux non précieux. Il résiste très bien à l'air et à l'humidité. Pratiquement indestructible, il arrivait souvent que des ustensiles en étain étaient fondus afin d'être utilisés pour la fabrication de nouveaux objets. C'est dans l'Antiquité qu'on découvrit que l'étain n'avait pas un effet nocif sur les aliments. Depuis cette époque, l'étain a servi à des usages divers, aussi bien dans les maisons que dans les communautés religieuses.

Les plus belles pièces d'étain de facture québécoise sont aujourd'hui dans des collections privées ou dans des institutions religieuses. Plusieurs articles en étain étaient importés d'Angleterre, et on les reconnaît à leur poinçon dont ne se servaient pas les artisans québécois, qui n'étaient pas très nombreux et qui sont encore de nos jours assez méconnus.

Chaque habitant utilisait ses propres moules pour fabriquer les objets dont il avait besoin. On trouve beaucoup de ces moules dans des collections privées.

La vaisselle d'étain fut remplacée par la faïence anglaise, au début du XIXe siècle, mais demeure un article fort recherché des collectionneurs.

Différentes catégories. Il existe diverses catégories d'étain. L'étain *fin* est utilisé surtout en orfèvrerie (soupière, écuelle ornée). Ces pièces sont très rares et souvent difficiles à distinguer d'autres en étain *commun*.

L'étain commun reste difficile à identifier et à définir puisque le réemploi du vieil étain était chose courante chez les artisans. Il semble même que chaque maître avait son secret et y ajoutait souvent des ingrédients de son cru (cuivre, antimoine).

Le métal noir (claire étoffe) est un étain de qualité très inférieure

Fiche (gond)
du type "vase à perles".

Charnière
en queue de rat.

Entrée de serrure du XVIIIe siècle, posée avec des clous. Les serrures étaient fabriquées par des forgerons.

Poignée en fer forgé sur porte Louis XV. (Antiquités Trottier, Bernières)

Moule à hosties,
en acier,
importé de France
au XVIIe siècle
(environ trois pieds de long).
(Collection Émile Pellerin)

*De gauche à droite,
gril, fourgon et tisonnier,
tous du XVIIe siècle.*

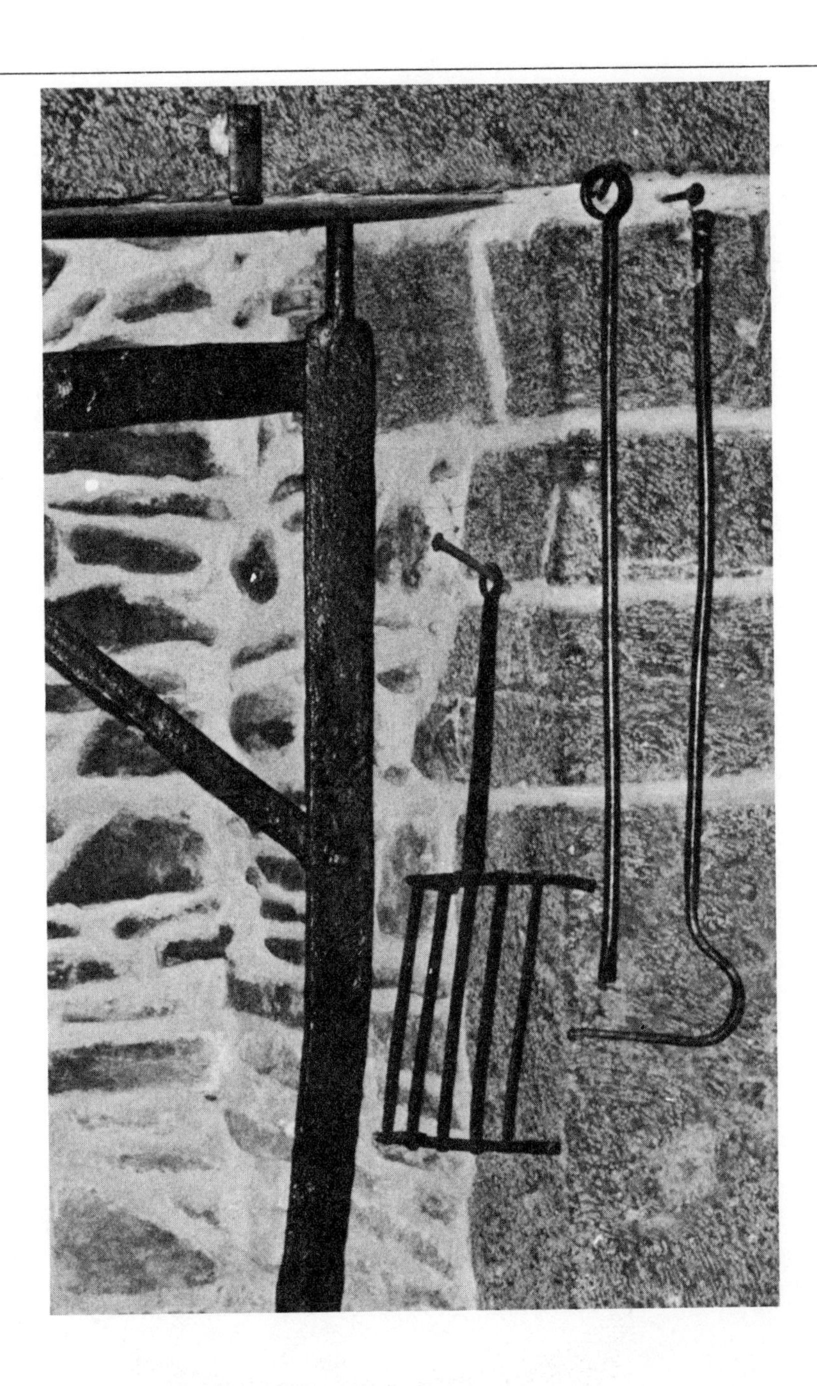

*Trépieds triangulaire
et rectangulaire destinés à
supporter
de petits chaudrons.
De main de forge,
datant du XVIIIe siècle.
(Collection Raynald Saint-Pierre)*

Grandes fourchettes
à viande
à deux et trois fourchons.
Au XVIIIe siècle,
on les accrochait près
de l'âtre.
(Collection Raynald Saint-Pierre)

Pelle à feu
du XVIIe siècle
et poêle à long manche
du XIXe.

Chaudron fabriqué aux Forges du Saint-Maurice, suspendu à la crémaillère (potence).

Bouilloire de fonte
du XIXe siècle.
(Collection Robert-Lionel Séguin)

Chaudron de fonte,
supporté par trois pieds.
Servait à la cuisson
des aliments à la crémaillère.
Début du XIXe siècle.
(Collection Raynald Saint-Pierre)

*Poêle à deux ponts
coulé aux Forges du Saint-Maurice
vers 1775.
Deux portes de chaque côté.
(Collection Émile Pellerin)*

Vaisselle d'étain du XVIIIe siècle.
Bol et assiette
de fabrication domestique;
chope importée d'Angleterre.

Moule à cuillères
provenant
de la famille Auger,
à l'Assomption.
(Collection Robert-Lionel Séguin)

Cuillère à potage
en étain,
fabriquée dans la région
de Montréal
au XIXe siècle.
(Collection Robert-Lionel Séguin)

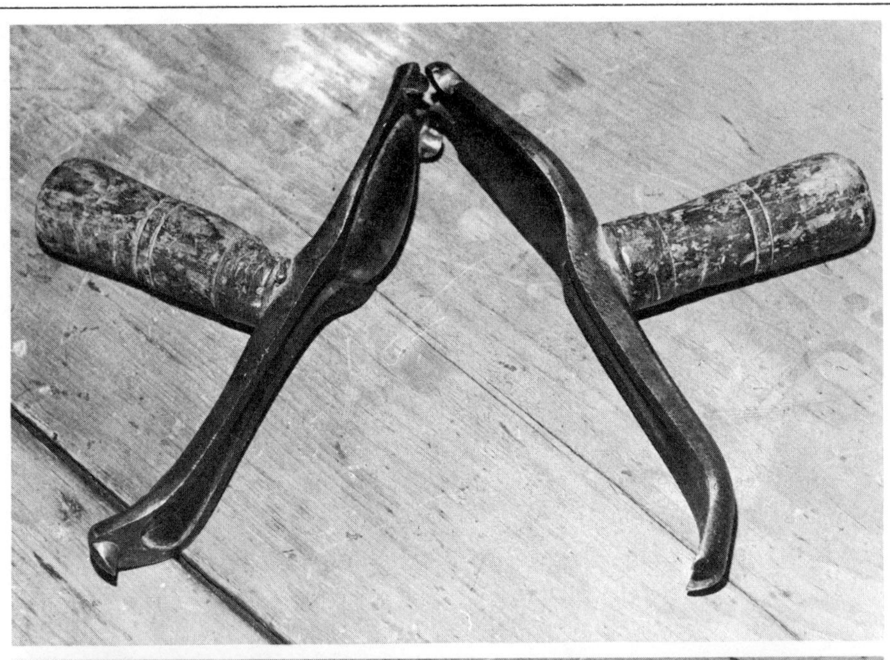

*"Fisselles" fabriquées
à Saint-Pierre de l'île d'Orléans.
On s'en servait pour
la confection du fromage.*

Falot du XVIIIe siècle.
(Collection
Robert-Lionel Séguin)

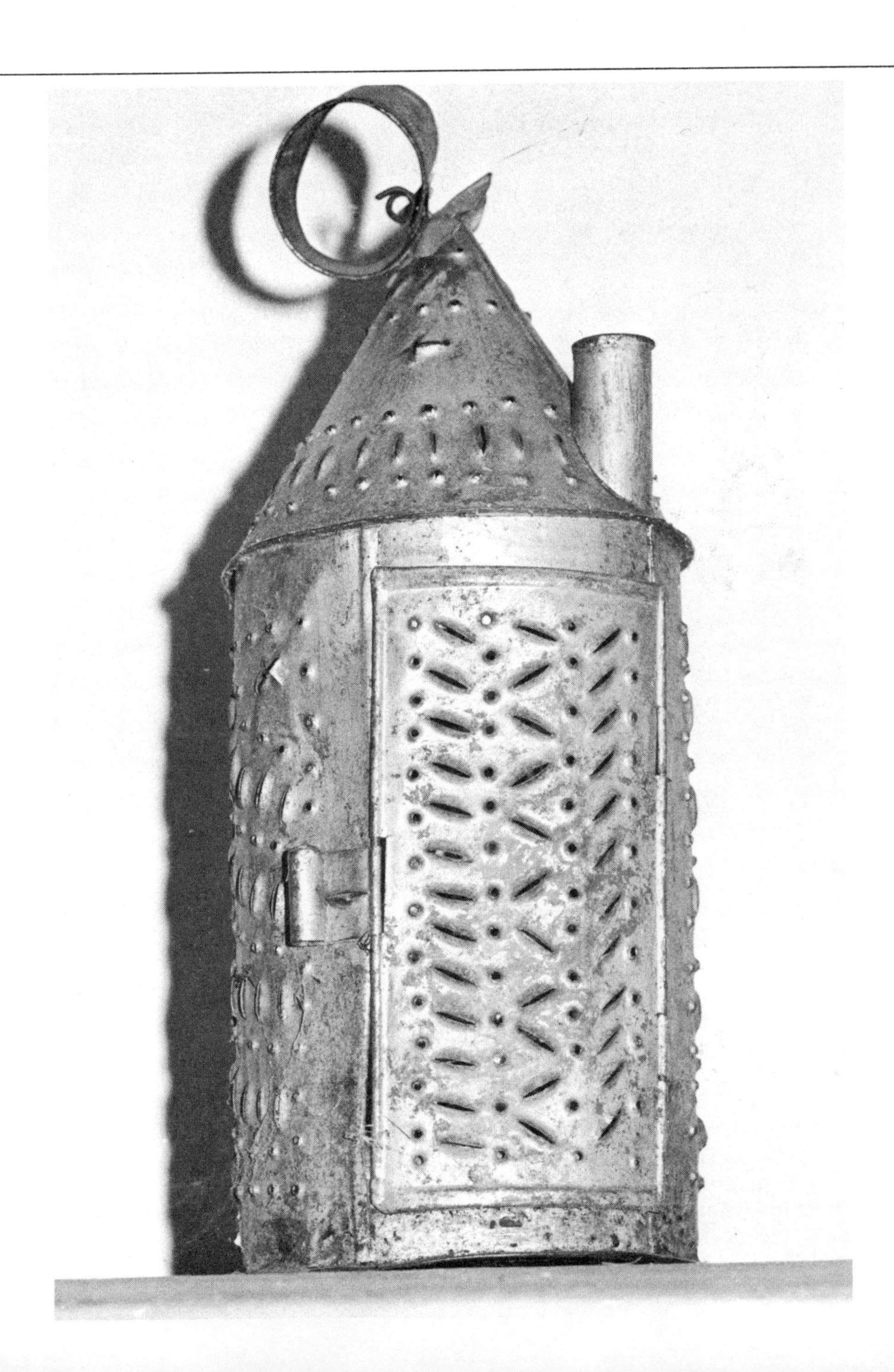

où la proportion de plomb est très forte. Les artisans, qui connaissaient les propriétés dangereuses du plomb, se gardaient bien d'en fabriquer des objets susceptibles de servir à la consommation. L'étain avec plomb servait plutôt à confectionner des chandeliers, des moules à chandelles et autres objets du même genre.

Comment reconnaître l'étain. Il est difficile d'identifier et de classer les objets en étain. Dans ce domaine, il n'existe pas de recette absolue et on conseille de « se faire l'œil ». Les spécialistes conseillent de frotter un objet supposé en étain avec un chiffon ou la paume de la main, l'étain ainsi frotté étant censé dégager une odeur caractéristique. Mais quelle odeur? demanderont sans doute les amateurs. D'autres parlent du « cri de l'étain », celui-ci étant supposé émettre un cri douloureux, parfaitement perceptible, quand on le tord légèrement. À vous de convaincre l'antiquaire de l'authenticité de vos méthodes!

Nettoyage. L'étain doit être propre, astiqué, sans toutefois trop briller. Les motifs doivent conserver leurs nuances propres, pour donner à l'objet ses reliefs ou son modelé.

Il faut éviter d'exposer les objets en étain aux trop grandes variations de température, et surtout au froid qui décomposerait le métal, le couvrant de taches noirâtres finissant par s'effriter. C'est ce phénomène qu'on appelle « peste de l'étain » et contre lequel il n'y a aucun remède. De plus, cette peste de l'étain peut contaminer des pièces saines. C'est pourquoi il faut éviter tout contact immédiat entre les objets sains et les objets atteints.

L'étain peut souffrir d'une autre maladie, « le cancer de l'étain », guérissable celle-là. On peut faire disparaître les symptômes — des taches d'oxyde — en utilisant un produit commercial. Un objet très encrassé devra être trempé dans du pétrole pendant quelques heures ou même quelques jours. On essuie ensuite avec un papier-journal et on polit avec un chiffon.

Il existe une méthode ancienne et très efficace pour nettoyer l'étain, c'est le « bain de foin ». On laisse tremper longuement l'objet dans un bain d'eau et de foin. L'objet doit être recouvert d'eau qu'on fait chauffer sans amener à ébullition. On laisse refroidir et au bout de quelques heures, les souillures sont disparues.

En se servant de potasse, de soude ou d'ammoniaque, on arrive généralement à bout des oxydations tenaces.

S'il s'agit d'entretenir un objet, on le plonge dans une eau savonneuse en le brossant bien, on rince et essuie.

Les tampons métalliques ravivent l'étain sans le rayer. Pour faire briller la patine sans l'enlever, il faut frotter avec un chiffon imprégné de bière chaude. On laisse sécher, puis on frotte légèrement. Enfin, pour obtenir une patine à l'ancienne, on se sert d'un bouchon de liège, frottant la surface de l'étain avec la partie plate du bouchon pour obtenir une marbrure. Cette marbrure doit être régulière. On l'obtient en frottant en mouvements circulaires. L'effet désiré peut être long à obtenir.

FERRONNERIE ANCIENNE

Partant du point du vue du collectionneur, on englobe sous le nom générique de *ferronnerie* tous les objets de fer, sans distinction des variétés obtenues par des techniques diverses. Le fer est un métal important et nos artisans l'ont beaucoup utilisé, en fabriquant de très beaux objets, très intéressants pour l'amateur-collectionneur.

Cependant, ces objets anciens de ferronnerie — travaux de fonte, fer forgé et ferblanterie — sont moins recherchés, peut-être parce qu'ils sont moins connus.

Fer forgé. Cet art est toujours très vivant chez nous. Les boutiques de forge, maintenant disparues, ont fabriqué de très belles œuvres d'art. Les artisans se procuraient aussi des tiges ou des plaques de fer dans une fonderie et les travaillaient selon leur inspiration. C'est ainsi qu'on retrouve chez les antiquaires quantité de pièces intéressantes, nées de l'esprit créatif des forgerons d'alors (chandeliers, mouchettes, réchauds, serrures, pentures et garnitures de meubles ou de maisons). Les queues-de-rat des armoires témoignent de cet art de nos ancêtres, de même que certaines serrures, décorées de motifs à dragon et flamme, et poignées de portes en trèfles à quatre feuilles.

Fonte. À la différence du fer forgé, ce matériau riche en carbone, dur et cassant, ne devient pas mou, même chauffé à très haute température. Il peut cependant se liquéfier s'il est soumis à une température de 1100-1300 degrés centigrades. La fonte ouvragée de nos artisans reste peu coûteuse et encore accessible. Cependant plusieurs objets (fers à repasser, moules divers, arrache-bottes) sont des copies maquillées et il faut faire attention quand on est à la recherche d'authentiques objets en fonte.

Tôle. Ce sont surtout les girouettes et les coqs de clocher qui ont donné à la tôle ses lettres de noblesse. Ces objets sont très recherchés et sont de plus en plus rares. Là encore, il semble facile de maquiller des copies pour leur donner une allure ancienne et authentique; aussi, faut-il être sur ses gardes.

On trouve encore des objets de nos ferblantiers, inutiles maintenant, mais décoratifs: lanternes aux formes variées, bouilloires, pichets, bougeoirs, chauffe-lits ou chauffe-pieds.

Conseils pratiques

Il ne faut pas trahir l'esprit des choses, leur « âme ». On doit se rappeler que les forgerons ont sorti ces pièces de leurs forges, brutes, et que si « on ne vend plus le fer dans son jus », il ne faut pas non plus le mettre à nu ou le faire briller comme l'argenterie.

Le fer forgé, véritablement ancien, ne rouille presque pas, à cause des taux de carbone ou de phosphore que contenaient les fers de cette époque.

Si une ferronnerie a été bien entretenue, les spécialistes précisent que la patine sera transparente, avec un reflet gris clair par endroits. La même pièce laissée à l'abandon, oxydée, érodée, risque bien de garder un certain reflet marron-roux de rouille, même nettoyée vigoureusement.

Nettoyage. Les antiquaires répugnent à employer des produits qui dissolvent la rouille. Ils préfèrent, pour les objets moyennement atteints, les laisser tremper plusieurs jours dans du pétrole pur. L'emploi d'un dérouillant est déconseillé car il s'agit d'acides puissants qui mettent le fer à nu, en attaquant souvent les surfaces intactes. Le papier sablé donne de bons résultats. Comme il est abrasif, on doit le choisir aussi fin que possible pour ne pas rayer le métal. La laine d'acier est aussi efficace, notamment pour polir et nettoyer les armes blanches ou à feu. On l'emploie à sec ou trempée dans le pétrole.

Entretien. La cire d'abeille protège tout en ne modifiant pas l'aspect du métal. On peut chauffer l'objet avant de l'enduire de cette cire naturelle qui pénétrera alors dans tous les interstices. On essuie l'excès, on laisse refroidir et sécher avant de faire briller à l'aide d'un chiffon doux. Cette méthode semble donner des résultats satisfaisants.

Patine reconstituée. Un truc, bien souvent employé par les antiquaires, consiste à exposer l'objet à patiner à la flamme de vieux papiers imprimés. Les vapeurs d'encre, combinées au noir de fumée, déposent sur le fer un film solide qu'on n'a plus qu'à cirer ensuite.

Des expériences récentes de conservation ont démontré qu'un bain d'huile de silicone ou un vernis appliqué sur l'objet préalablement chauffé permettent de conserver les objets. Il faut toujours veiller à ce que les pièces ne deviennent pas trop brillantes, car ce brillant détruit la texture des surfaces.

Les ferronneries se conservent mieux dans une pièce où la température est d'environ 10 degrés inférieure à une température normale (soit 58 degrés par rapport à 68). L'humidité relative devra toujours être à 55 pour cent.

Un bel exemple de meubles anciens intégrés au cadre de tous les jours.

Table de réfectoire provenant du couvent d'Oka. Les chaises (chaises types de Chambly), d'inspiration américaine, sont plus récentes (deuxième partie du XIXe siècle). (Collection Robert-Lionel Séguin)

Rouet fabriqué vers 1820. Sous la fenêtre, un évier taillé dans la pierre calcaire, daté 1721.

Chiffonnier fabriqué au début du XXe siècle, par le menuisier Amédée Séguin, à Rigaud. (Collection Robert-Lionel Séguin)

Berceuse de la région de Rigaud. (Collection Robert-Lionel Séguin)

Berceau de la région du Richelieu, fin du XVIIIe siècle. (Collection Robert-Lionel Séguin)

Ce placard de bois était fixé avec des crochets devant la cheminée lorsqu'on n'y faisait pas de feu, pour éviter les courants d'air et empêcher les oiseaux d'entrer.

Chaise berçante de couleur rouge originelle. Style rustique. (Le Coq Rouge enr., Saint-Jovite)

Armoire de pin à pointes à diamant. (Antiquités Trottier, Bernières)

Encoignure de facture québécoise, trouvée à Gaspé. Seules deux tablettes ont été restaurées. À droite, un petit meuble transformé en table de nuit, sur lequel on a déposé une lampe faite avec une vieille roue de wagon. Ces meubles sont entièrement en pin. (Elisabeth's Antiques, Pointe-Claire)

Ce type de berceuse se retrouve encore chez certains antiquaires. (Aladdin's Lamp Antiques)

Armoire d'esprit Louis XIII. (Antiquités Trottier, Bernières)

“Chaise de monsieur” et “chaise de madame”. Cette dernière était conçue spécialement pour convenir aux amples crinolines de l'époque...

Cette chaise fait partie du même ensemble; elle a cependant été restaurée et rembourrée. (Collection Emile Pellerin)

Sofa victorien de fabrication québécoise (style écossais).

Banc que les cultivateurs utilisaient pour réparer leurs attelages au début du siècle (couleur d'origine). (Collection Emile Pellerin)

Siège pour dames fabriqué au Québec vers 1875. (Collection Emile Pellerin)

Lampe suspendue de fabrication américaine (début du siècle). À l'arrière: patère en fonte à motifs de fleurs, coulée dans une fonderie québécoise (même époque). (Collection Emile Pellerin)

CHAPITRE VIII

Jouets et objets de bois

« Le jouet de facture primitive reste une véritable pièce d'art populaire. Chevaux de bois et mobilier de poupée témoignent des préoccupations esthétiques et de la dextérité manuelle de nos artistes champêtres. »
— ROBERT-LIONEL SÉGUIN

Les artisans ont su tirer grand profit du bois (chêne, pin, merisier, noyer, érable) et ont laissé un héritage fort intéressant d'articles de tous genres.

Comme le souligne Robert-Lionel Séguin, dans son livre « Les Ustensiles en Nouvelle-France »[1], les artisans ont d'abord utilisé un équipement domestique et aratoire en fer et ce n'est que durant la seconde partie du XVIIIe siècle qu'on a commencé à se servir du bois.

Le bois ayant cette qualité de se travailler facilement, il est normal que nos ancêtres aient profité de ce matériau pour satisfaire leurs besoins, non seulement pour l'ameublement, mais pour tous les autres articles (moules divers, chandeliers, ustensiles) comme pour les jouets de leurs enfants.[2]

Le pin fut le bois le plus employé au Québec et dans les Maritimes. Les métiers artisanaux, comme le rouet, et les horloges typiquement québécoises sont presque tous en pin. Les ébénistes choisissaient également le pin pour fabriquer des objets utilitaires comme les boîtes à sel ou à allumettes et le coffret à épices.

Les moules étaient également fabriqués en pin, mais aussi en merisier, en érable ou en frêne.

Ces moules constituent une denrée rare et très recherchée des collectionneurs. On y retrouve toutes sortes de motifs d'animaux, de locomotives, de maisons. Selon Robert-Lionel Séguin, ces moules, à motifs de maisons, sont les plus intéressants car ils renseignent sur le mode de vie de nos ancêtres.

Le jouet de facture primitive est totalement disparu du marché. Du mobilier de poupée aux jouets agricoles, des soldats de tôle au che-

1. Éditions Leméac.
2. *Les Jouets anciens du Québec,* Éditions Leméac.

Coffrets en bois
de cèdre recouvert d'écorce
de bouleau,
de facture indigène de l'Est
du Québec
(XVIIIe siècle).

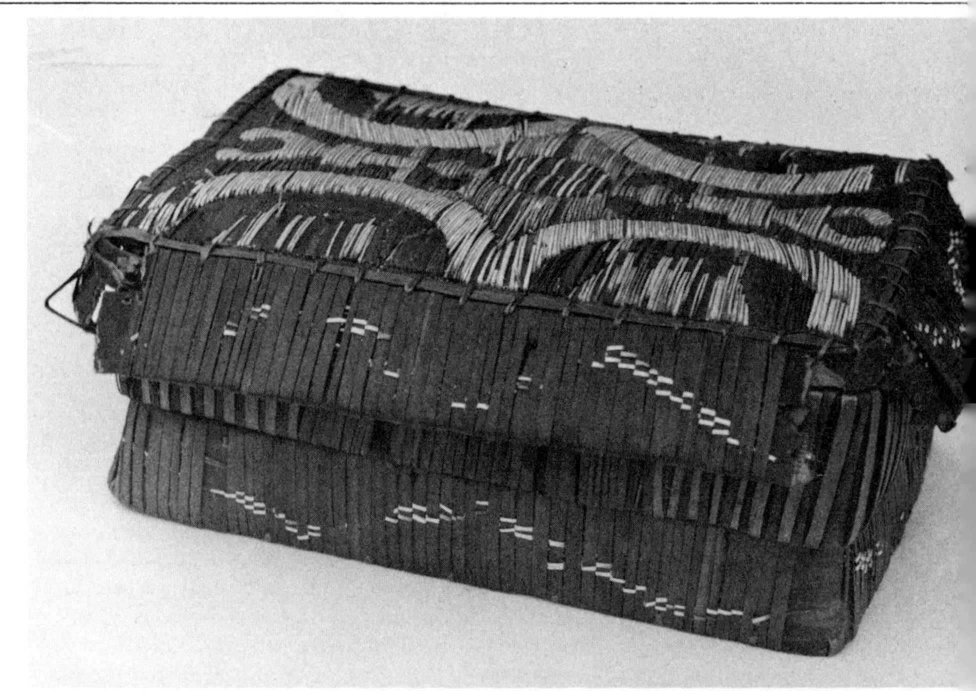

Moule à sucre d'érable
à plusieurs motifs dont un castor,
des feuilles d'érable
et l'inscription « souvenir ».
Début du XXe siècle,
en bois d'érable.
(Collection Raynald Saint-Pierre)

Moules à beurre.
Vers la fin du XIXe siècle.
(Collection Émile Pellerin)

Moule à sucre,
fin du XIXe siècle.
Il provient de la famille Brazeau
de Saint-Rédempteur.
(Collection Robert-Lionel Séguin)

Moule à sucre de facture
industrielle.
(Collection Robert-Lionel Séguin)

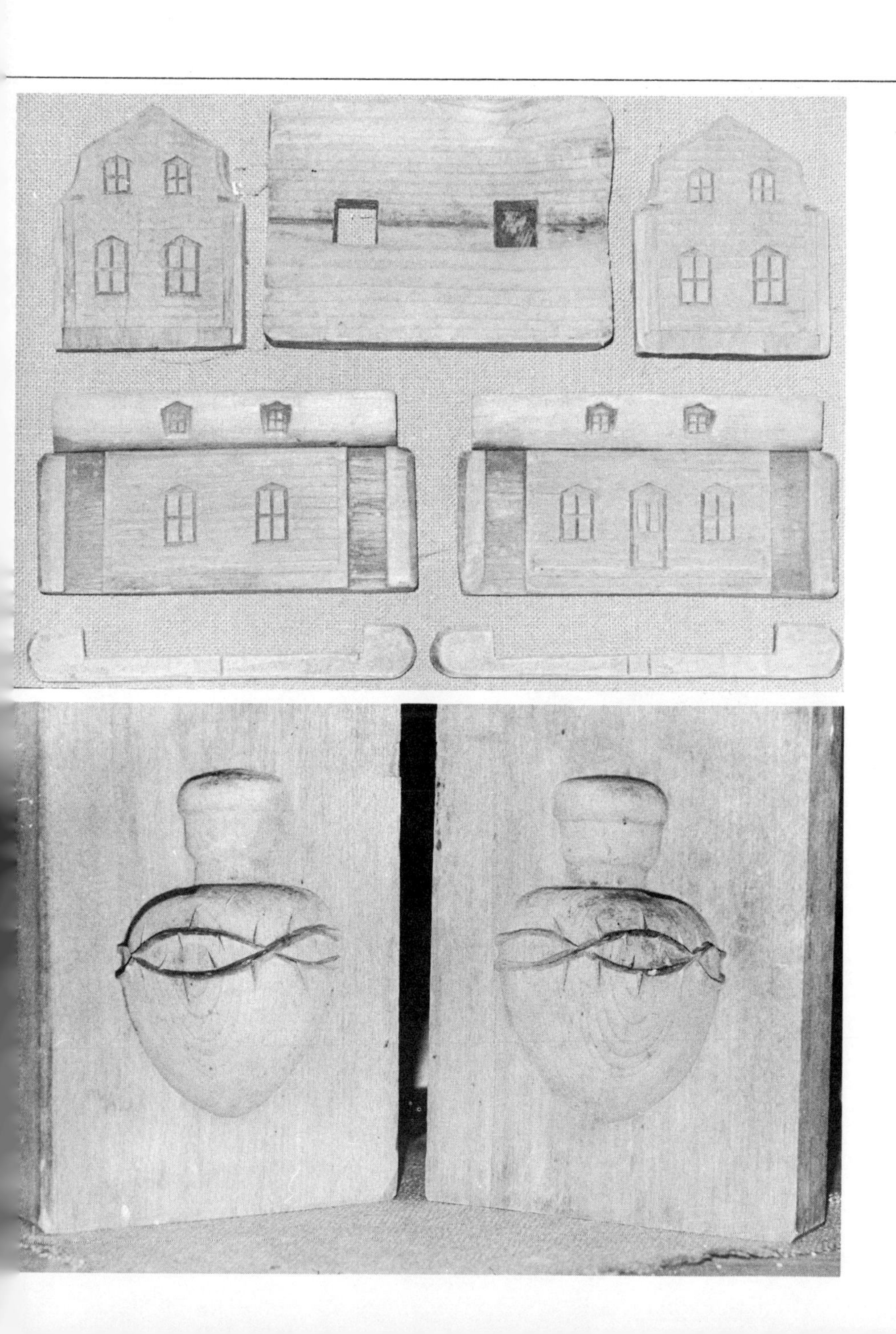

Moule à sucre, fin du XIXe siècle. (Collection Robert-Lionel Séguin)

Moule à beurre de la région de Berthier, fin du XIXe siècle. (Collection Robert-Lionel Séguin)

Moule à sucre mortaisé,
fin du XIXe siècle.
(Collection Robert-Lionel Séguin)

*Marques à beurre
de la région de l'Islet,
seconde partie du XIXe siècle.
(Collection Robert-Lionel Séguin)*

Jeu de blocs (jouet d'enfant)
du début du XXe siècle.
(Collection Robert-Lionel Séguin)

Moule à sucre
de la région de Portneuf.
(Collection
Robert-Lionel Séguin)

Patins d'enfant
provenant de la famille Cholette,
à Rigaud;
seconde partie du XIXe siècle.
(Collection Robert-Lionel Séguin)

Jouet d'enfant (attelage)
provenant de Baie-Saint-Pau
début du XXe siècle.
(Collection Robert-Lionel Sé

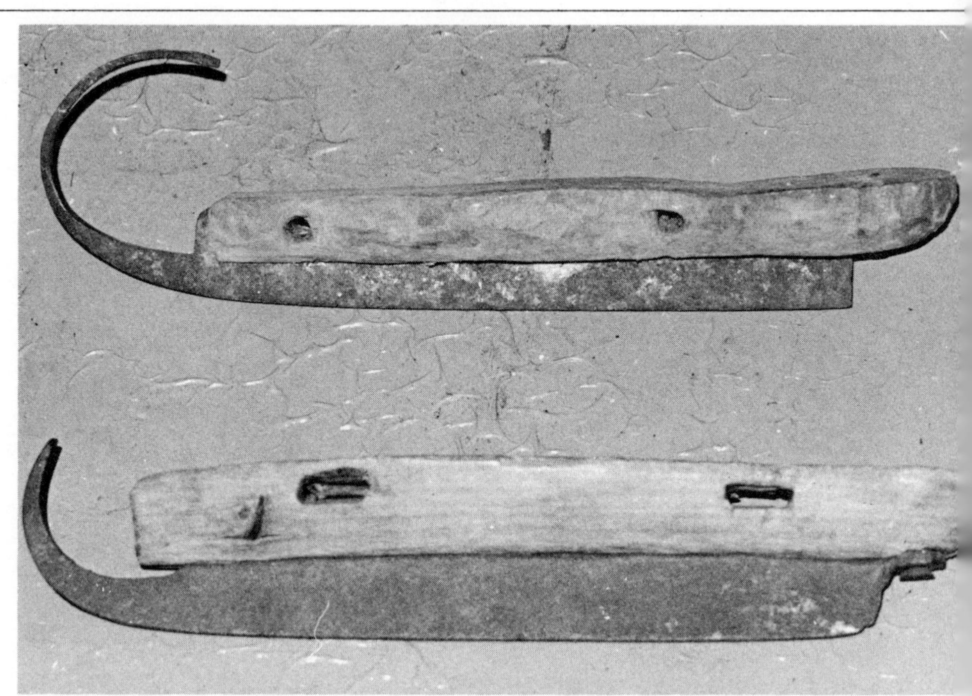

Rouet à canneler de la première partie du XIXe siècle, en provenance de Saint-Marc (Richelieu). (Collection Robert-Lionel Séguin)

À gauche:
porte-pipes de facture artisanale, fin du XIXe siècle. À droite: porte-pipes de fabrication industrielle. (Collection Robert-Lionel Séguin)

Cheval berçant de la région de Berthier, fin du XIXe siècle. (Collection Robert-Lionel Séguin)

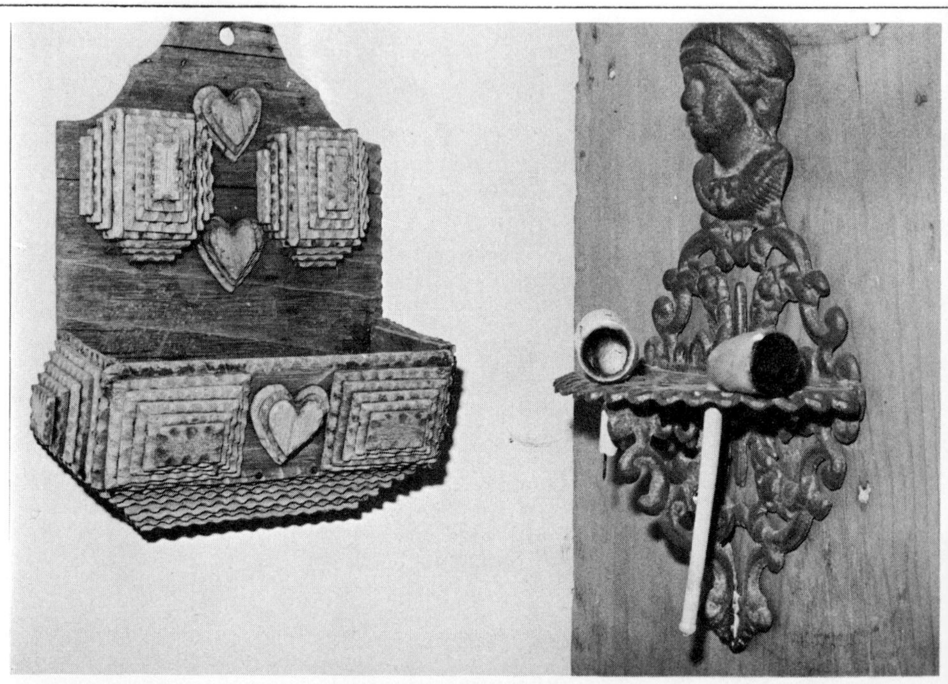

Cheval sur roulettes fabriqué par la famille Arsenault à Sainte-Justine, comté Vaudreuil. (Collection Robert-Lionel Séguin)

Chevaux d'enfants. Celui de gauche vient de la région de Portneuf; celui de droite a été fabriqué par Boudreau, aux Éboulements. (Collection Robert-Lionel Séguin)

Corpus naïf,
région de Nicolet.
(Collection
Robert-Lionel Séguin)

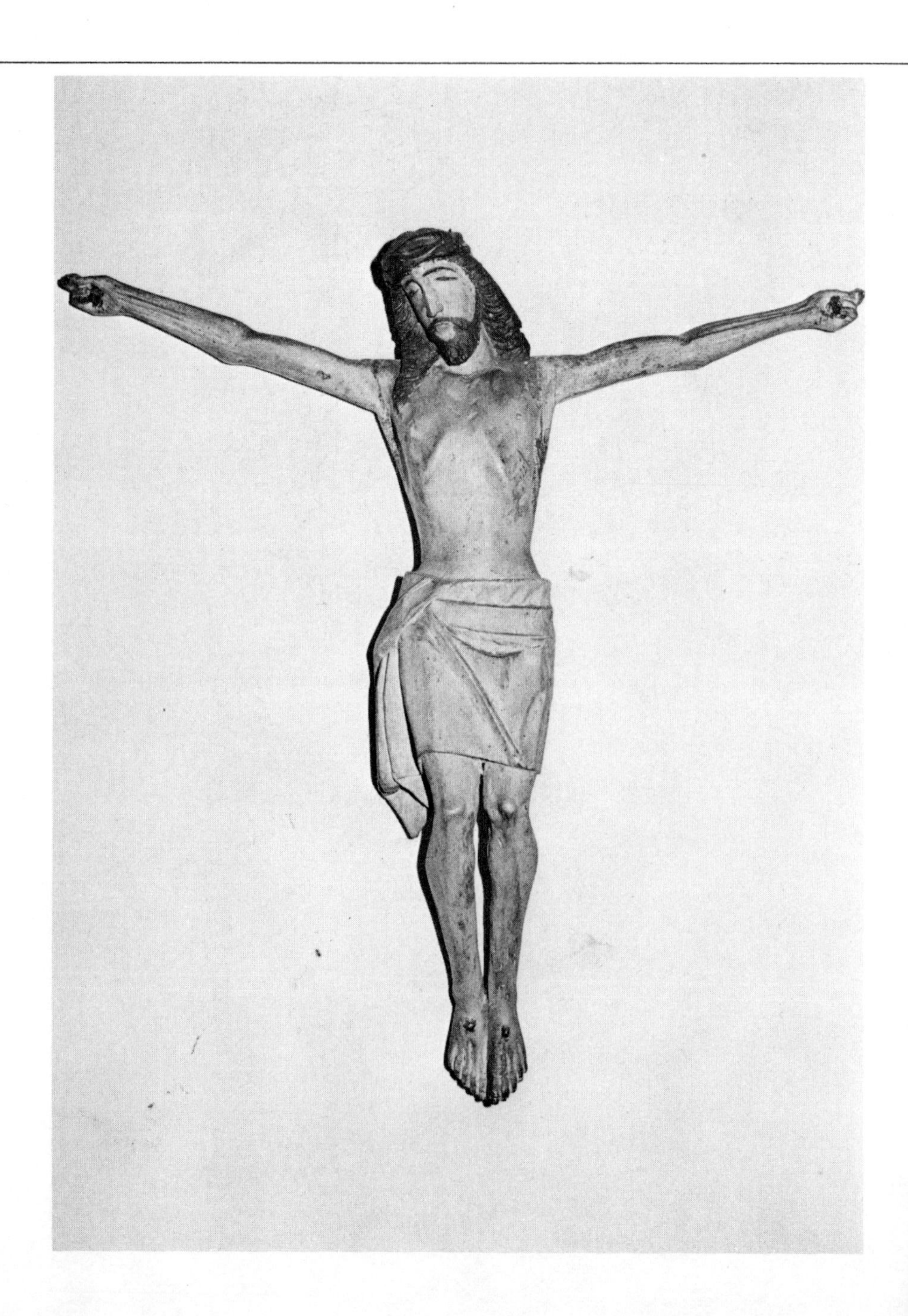

Rouet fabriqué par les L'Heureux, à L'Acadie. (Collection Robert-Lionel Séguin)

Appelant pour la chasse, provenant de la famille D'Amours à Rigaud. (Collection Robert-Lionel Séguin)

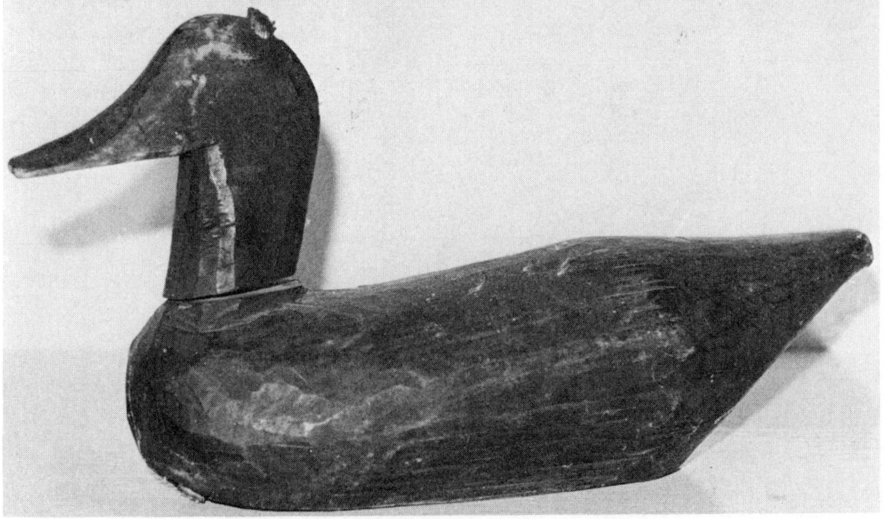

*Passoire primitive
qui servait à retirer le blé d'Inde
lessivé du tonneau.
(Collection Robert-Lionel Séguin)*

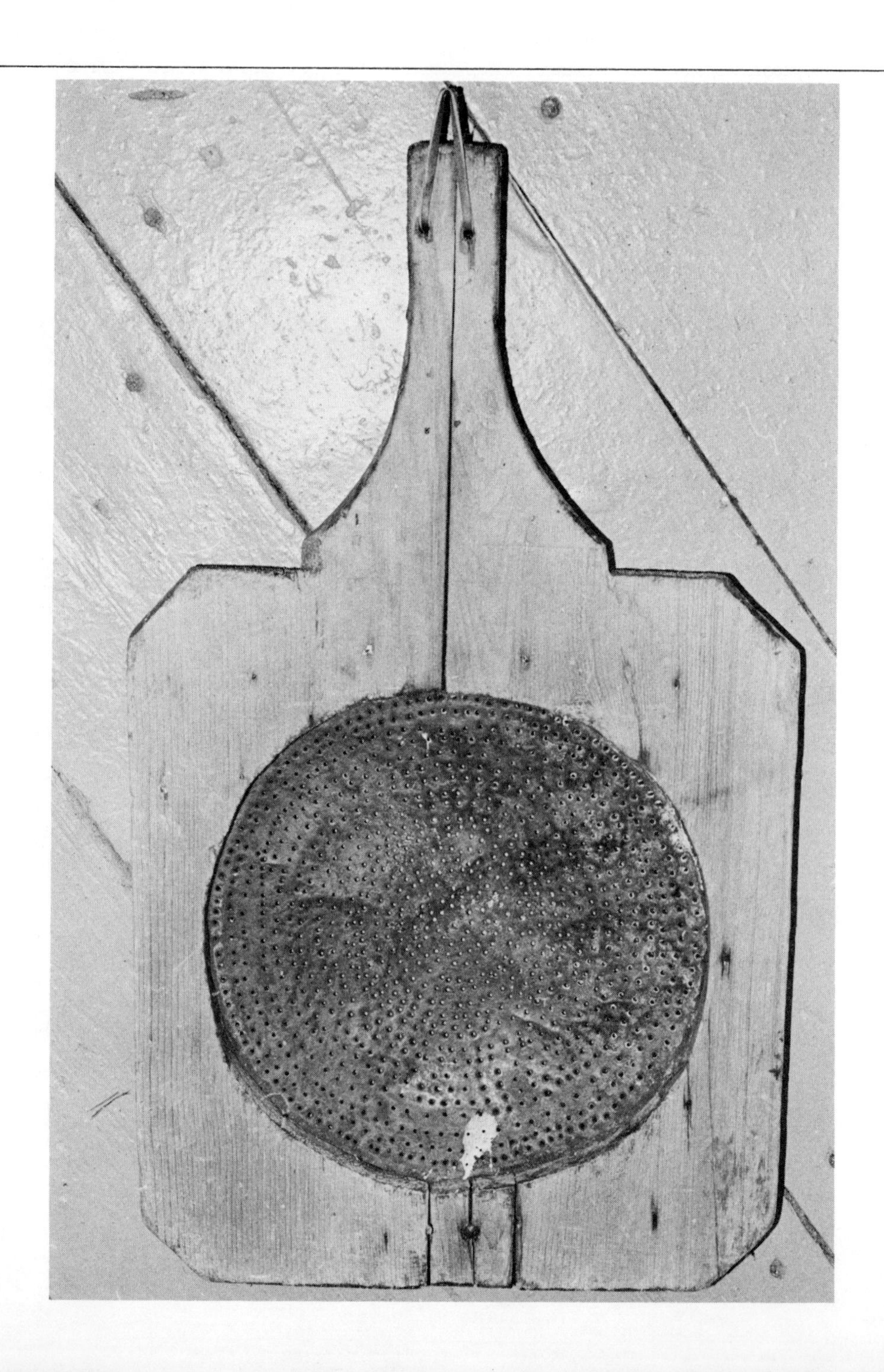

Vues de dos et de face d'un petit coffret
à couvercle bombé d'inspiration française,
datant du XVIIIe siècle.
Pentures en fer forgé
d'un style très rare au Québec.
Couleur d'origine bleu-vert.
(Puces Libres Antiques)

Chandelier en pin, sculpté
par Noël Levasseur
vers 1730-40. (Musée McCord)

Applique murale en bois doré et sculpté par Noël Levasseur (XVIIIe siècle). (Collection privée)

*Chandelier d'autel façonné
par Joseph Pépin,
première partie du XIXe siècle.
(Collection Robert-Lionel Séguin)*

*Chandelier à quatre branches,
en noyer, de style Louis XV.
Vieille copie faite
au Québec, début du XXe siècle.
(Puces Libres antiques, Montréal)*

val sur roulettes, à patins ou à bascule, des traîneaux aux patins du XIXe siècle, il est maintenant impossible de mettre la main sur un quelconque jouet de facture artisanale primitive. À force de patience et de laborieuses recherches, on peut à la rigueur trouver encore quelques articles de facture industrielle.

En faisant la tournée de nos antiquaires, on peut avoir la chance de trouver des chandeliers dits « pascals », taillés dans le pin, de même que des angelots sculptés. Les sculptures décorant ces objets sont souvent très fignolées; la peinture et la dorure ajoutent à la valeur de ces réalisations qu'on n'hésite pas maintenant à qualifier d'œuvres d'art. Ces angelots ou petits chérubins, entourés de guirlandes et de fleurs, sont généralement des décorations provenant de vieilles chapelles ou églises.

Rouet. Le rouet est devenu une pièce populaire chez le paysan au XIXe siècle. On distingue deux sortes de rouet: à pédale de bois, du début du XIXe siècle, et à pédale de fonte, de la fin du XIXe siècle. Les fabricants les plus importants étaient installés à Bellechasse et à Kamouraska. Il reste encore quelques rouets, de même que des dévidoirs et des cardes, mais il faut se hâter de se les procurer avant que les pièces les plus belles ne soient complètement disparues du marché.

Créations sculptées d'esprit religieux — Articles religieux. Il est difficile d'ignorer les articles religieux de nos menuisiers sculpteurs. Ces articles ont été fabriqués par centaines et centaines pendant plus de 300 ans. Le prie-dieu en pin, typiquement québécois, tout comme les diverses ornementations d'église sont authentiques et témoignent de la société d'alors, profondément religieuse.

Horloges. Les premières horloges viennent d'Europe, plus particulièrement de France où on fabriquait le mouvement. L'horloge de pin est d'origine québécoise. Du XVIIIe siècle, on connaît peu de choses, sinon les noms des premiers artisans horlogers établis chez nous. Un nom est à retenir plus particulièrement, celui de la famille Twiss, dont les cinq frères installés à Montréal ont créé les horloges grand-père, signées J. B. & R. Twiss. Ces horloges authentiques de nos ancêtres menuisiers ébénistes ont été remplacées par une production anglo-américaine. C'est d'ailleurs l'horloge américaine qu'on retrouve maintenant chez les antiquaires, comme l'horloge « Banjo », de Simon Willard, que l'on suspendait au mur, fabriquée au XIXe siècle et copiée par les Américains. On trouve aussi l'horloge « Eli Terry », à colonnettes et volutes, également du XIXe siècle, à prix plus accessible et qu'on reproduit encore de nos jours.

S'il est vrai qu'il n'existe presque plus d'articles ou objets québécois de facture primitive, il reste quand même intéressant de collectionner certains objets de facture industrielle, même s'ils n'ont pas la saveur de l'apport primitif.

Le but de ce guide n'est pas de susciter une polémique, mais ces propos judicieux de Robert-Lionel Séguin méritent qu'on s'y arrête: « Nous avons une civilisation intensément intéressante, un côté art populaire, où notre pays est peut-être celui qui possède les plus belles pièces. On retrouve ici toutes les disciplines comparativement à d'autres pays, mais c'est également le pays où l'art populaire a été le plus dédaigné, où la civilisation traditionnelle n'a jamais suscité aucun intérêt sérieux de la part de l'État. Partout dans le monde, l'État se préoccupe de ce domaine, peu importe le système politique, l'idéologie et la politique économique. Ici, les arts populaires ont été sauvés grâce à des particuliers et à l'intervention des universités: le folklore oral, à l'Université Laval, et l'art matériel, à l'Université du Québec, aux Trois-Rivières. Que penser de tout cela quand on sait qu'au Gabon, on a ouvert un Musée d'Art traditionnel populaire...? » L'opinion publique commence à s'éveiller à ces choses mais les responsables doivent agir vite, sinon il sera irrémédiablement trop tard. C'est aux amateurs, aux collectionneurs, à tous ceux qui ne veulent pas que disparaissent tout à fait toute cette richesse et cette beauté qu'il incombe de parler, voire d'exiger...

CHAPITRE IX

Mariage de l'ancien et du moderne

« ...Mêlés l'un à l'autre, sans considération chronologique, l'art ancien et l'art moderne soulignent la continuité du peuple québécois et confirment le fait qu'en dépit de traumatismes successifs — Conquête, industrialisation imposée de l'extérieur, anémie pernicieuse secrétée par des idéologies paralysantes — tant bien que mal, le Québec ait réussi à se maintenir. »

— LAURENT LAMY
Les Arts du Québec
Pavillon du Québec
Terre des Hommes 1974.

« Les maisons sont faites pour y vivre et non pour qu'on les regarde. »

— FR. BACON

« Le goût est en quelque sorte le microscope du jugement; c'est lui qui met les petits objets à sa portée et ses opérations commencent où s'arrêtent celles du dernier. »

— J.-J. ROUSSEAU

Selon le décorateur Laurent Lamy, intégrer l'ancien au moderne est une solution qui comporte des risques. Cela permet en effet de conserver des meubles de famille ou d'autres, découverts chez les antiquaires, sans toutefois se priver du confort certain et des avantages du mobilier contemporain.

Cependant, pour bien marier ou intégrer (Laurent Lamy préfère cette dernière expression) l'ancien et le moderne, on doit respecter certaines normes, dépasser « l'émotion esthétique » qu'on peut ressentir en voyant un meuble et penser aux moyens de le fondre dans son décor quotidien.

L'amateur de meubles anciens n'habite pas toujours un édifice historique ou une maison grande et spacieuse. On conseille naturellement de rapprocher le plus possible le style de l'ameublement du style de l'immeuble, mais c'est un idéal quelquefois difficile à réaliser.

Dans un vieil immeuble (appartement, duplex, maison), le problème est résolu. Ces vieilles demeures ont en général de beaux planchers de bois, des cheminées et des pièces assez vastes, décor bien accordé aux meubles anciens.

Par contre, dans un immeuble relativement récent ou résolument moderne, des meubles de grosseur moyenne ou plus petits conviennent mieux à la dimension des pièces.

Laurent Lamy est convaincu que la simplicité de certains meubles anciens s'harmonise agréablement à la rigueur des lignes modernes.

CE QU'IL FAUT ÉVITER

On doit éviter d'avoir des meubles qui touchent le plafond de la pièce et des meubles trop lourds ou larges, dont les lignes massives écrasent les autres; on ne doit pas mettre dans la même pièce des meubles trop ornés et d'autres dépouillés, de même que des meubles de qualité et de style trop différents. Des meubles originaux et des imitations ne font pas bon ménage dans une même pièce. On doit surtout éviter de transformer sa maison en véritable « musée », en chargeant trop les pièces.

Pour les pièces d'utilisation courante, on doit choisir des meubles solides et fonctionnels (divans, tables, chaises, pupitres). On doit toujours tendre à la simplicité, synonyme de bon goût et d'harmonie.

L'harmonie d'un décor réside avant tout dans l'unité des meubles qui le composent. Savoir intégrer, c'est essayer de faire revivre d'anciens meubles, leur donner une deuxième vie « fonctionnelle ». Ce mot de fonctionnel revient souvent dans la bouche de Laurent Lamy. Pour le décorateur, le meuble doit avoir son utilité propre, tout en s'adaptant au milieu ambiant. Les considérations pratiques ne sont pas à dédaigner, même si plus d'un acheteur éventuel a tendance à les oublier. Une chaise *doit* être confortable, même si elle est ancienne et très belle. Une table *doit* être solide si on a l'intention d'y prendre ses repas ou d'y travailler.

Les meubles anciens ont presque toujours une simplicité de lignes et une chaleur qui facilitent leur intégration à un ameublement moderne, en respectant cette notion d'harmonie. Nos artisans avaient ce sens du pratique et de l'esthétique, même avec leurs moyens limités d'alors. On peut donc réussir un mariage heureux, entre l'ancien et le moderne, obtenir une unité de décoration puisque tout ce qui est beau s'harmonise, « s'intègre » pour employer le mot de M. Lamy.

Si on doit recouvrir des meubles anciens (sièges, canapés ou chaises), on conseille de s'adresser à un artisan qui tissera un motif adapté au style et à l'époque du meuble. On peut aussi choisir des tissus lavables (comme le velours côtelé), pourvu qu'ils ne détonnent pas avec le meuble.

Les matières, même les plus modernes, comme l'acier, le chrome,

Dans un salon, une zone conversation. Un mélange d'ancien et de moderne. Une causeuse scandinave de couleur vive voisine avec une petite armoire canadienne qui remplace la table de coin ou de bout.

Dans une immense salle à manger,
le pratique se joint à un décor plutôt ancien.
Une bibliothèque à rayons,
un fauteuil confortable monté sur du bois moulé et
un pétrin ancien joliment ornementé.

Une armoire ancienne munie de charnières en "queue de rat" accueille les visiteurs dans cette entrée assez vaste. La lampe et le tableau d'inspiration moderne s'intègrent parfaitement pour créer l'ambiance unique de cette pièce.

Le décorateur Laurent Lamy a imaginé
pour le couple Gervais-Sauvé
un coin travail dans leur salon en utilisant
une table et une chaises canadiennes
pour son aménagement.
L'ensemble voisine avec bonheur
avec une causeuse aux lignes futuristes.

le plastique moulé, le verre, voisinent agréablement avec les meubles anciens. Seul un bois semblable à celui du meuble ancien risque de choquer.

UTILISATION DES MEUBLES ANCIENS À LA MODERNE

Il n'est pas défendu de donner aux meubles anciens une nouvelle utilisation en les transformant, pourvu qu'on ne les défigure pas. Par exemple, si on prévoit prendre tous ses repas sur une table de pin, on peut très bien la passer au varathane imperméabilisé sans pour autant lui enlever sa couleur d'origine. Ce procédé protégera la table contre les cernes et les marques et la conservera en bon état. On peut aimer les meubles anciens sans pour autant rejeter les avantages incontestables du modernisme, surtout dans les cuisines et les salles de bains.

Inutile de dire que des transformations sont impensables sur des meubles authentiques, mais s'il manque des tablettes à une armoire paysanne, on ne doit pas hésiter à en ajouter. Quelques tablettes supplémentaires de rangement ne changent en rien l'aspect du meuble. On peut également changer des poignées de bahuts, des ferrures de coffres et de pétrins, des pieds de tables, de bancs de ferme ou de chaises.

On peut quelquefois récupérer des portes d'armoires inutilisables et les installer dans une cuisine moderne ou comme portes de placards. Un menuisier peut agrandir ou diminuer, selon le cas, le cadre extérieur des portes. Les coffres servent à mille usages, on peut y installer son système de son, y ranger ses vieux papiers, les jouets des enfants, le linge d'hiver ou d'été, etc.

On peut transformer tous ces meubles paysans au gré de sa fantaisie, de son goût, de ses besoins, tout en gardant bien en mémoire le mot de Laurent Lamy: harmonie.

LES ACCESSOIRES

Il existe de beaux objets qui ne tombent peut-être pas dans la catégorie des antiquités « authentiques » mais qui peuvent être à la fois fonctionnels et agréables, comme des cruches, bers, chaises et lampes de toutes sortes. Rénovés, rafistolés, personnalisés, ces objets apportent un cachet bien particulier au décor. Leur usage est illimité. Au hasard, voici quelques suggestions:

Les *cruches* peuvent servir de pots à fleurs.

On peut décorer un mur de cuisine avec une variété de *moules à biscuits ou à sucre*.

Les *pichets à eau et leurs bols assortis,* qui ont longtemps servi à la toilette du matin et du soir, sont des éléments très décoratifs qu'on peut remplir de fleurs naturelles ou séchées.

Un *petit coffre* peut servir de table à café, à téléphone.

Un *ber* peut devenir un porte-revues.

Il y a autant de possibilités qu'il y a d'objets, autant d'idées que d'amateurs!

En visitant la maison d'amis ou en feuilletant des magazines de décoration, on rencontre ces contrastes réussis, ces « mariages heureux », où le moderne côtoie l'ancien, sans choquer, en toute harmonie.

Il est là ce meuble qui réchauffera une pièce un peu trop désincarnée et stéréotypée, là, au fond d'un hangar ou dans un marché aux puces, souvent recouvert d'un mauvais vernis foncé ou d'épaisses couches de peinture. Il suffit de le repérer, de le reconnaître et de savoir le remettre en état (en suivant, bien sûr, les conseils que ce guide prodigue).

Il y a aussi l'antiquaire de renom qui offre des meubles et objets en bon état, mais à prix évidemment beaucoup plus élevé.

CHAPITRE X

Les collections

« La maladie d'un collectionneur, c'est comme le cancer. Ça ne se guérit pas. »

— MICHEL SAINTE-MARIE

Le secret du collectionneur, c'est un secret de polichinelle: le collectionneur doit être très renseigné, « incollable ». Pour en arriver là, il doit d'abord se documenter et lire toutes les publications qui traitent de l'objet collectionné. Ce faisant, il apprendra des détails pratiques fort importants, comme faire la différence entre un objet original et une copie ou comment évaluer un objet à sa juste valeur.

Cette première étape franchie, il peut alors essayer de rencontrer d'autres collectionneurs. Cela est relativement facile quand il existe une association de collectionneurs pour son type de collection. Sinon, il peut mettre une annonce dans les journaux pour demander des correspondants s'intéressant au même type de collection que lui.

La collection peut devenir un investissement, mais la plupart des collectionneurs disent ne pas attacher d'importance à cet aspect financier, une collection étant irremplaçable et inestimable pour son propriétaire.

Il y a deux sortes de collections: les collections de prix et les collections originales. Si le budget le permet, on peut rechercher des articles rares, donc coûteux, comme les instruments de marine ou d'astronomie, les armes, les articles de verre, les poteries, etc. Par ailleurs, si le budget réservé à une collection est limité, on peut opter pour les « vieilles » choses originales. Il est impossible d'énumérer une liste exhaustive de suggestions pour une collection; en voici quelques-unes: bouteilles, cruches, fers à repasser, articles de tôle, girouettes, poupées, timbres, pipes, cartes postales...

LES ARMES

De tout temps, les armes ont attiré et passionné les collectionneurs. Certains se spécialisent dans les armes militaires, d'autres collectionnent les armes de chasse. D'autres encore s'intéressent aux armes blanches et à différentes pièces de munition.

Les armes françaises et anglaises qui ont servi sous différents régimes au Canada sont très recherchées. Un collectionneur très connu au Québec, M. Émile Pellerin, des Trois-Rivières, possède dans sa collection deux mousquets français, datant respectivement de 1717 et 1728; le premier a même servi lors de la bataille des Plaines d'Abraham. Il va sans dire que de telles armes sont rarissimes. Le mousquet a été la première arme à feu utilisée au Canada. M. Pellerin a aussi dans sa collection plusieurs armes anglaises, du type Brown Bess, qui est l'arme militaire la plus recherchée. Elle a été utilisée au Canada de 1758 à 1830 environ.

Les collectionneurs qu'on dit « purs » — c'est-à-dire ceux qui conservent toutes leurs pièces et ne les vendent pas — sont très rares.

Armes de traite. Présentement, ce sont ces armes qui sont le plus recherchées par les collectionneurs. Venant de France, d'Angleterre ou de Belgique, elles coûtaient environ six dollars aux compagnies de traite qui les échangeaient contre 20 peaux de castor. Le fusil de traite a été utilisé au Canada de 1670 jusqu'à 1925 environ.

À partir de 1670, c'est la Compagnie de la Baie d'Hudson qui achetait la presque totalité des fusils de traite. Elle marquait alors ses armes d'un renard. Après la première moitié du XIXe siècle, elle a utilisé les initiales HB, jusque vers 1925.

Armes québécoises. Les armes québécoises existent bel et bien. Il convient tout de même de faire une mise au point sur le sens du qualificatif « québécoises ». Très peu d'armes ont été fabriquées en entier au Québec. Certaines pièces étaient importées d'Europe et les armuriers québécois les assemblaient et fabriquaient les pièces manquantes. Des débuts de la colonie à aujourd'hui, il y a eu environ 3 000 armuriers. Plusieurs de ceux qui se disaient armuriers n'étaient que des commerçants. Ils faisaient fabriquer en Angleterre des armes qui portaient leur nom. Les véritables fabricants canadiens sont encore plus rares et la majorité d'entre eux étaient établis en Ontario, principalement dans la région de Toronto et de London. Les véritables armes québécoises dateraient du XIXe siècle. Certaines armes de cette époque sont marquées du nom de l'armurier et du lieu de fabrication. Les armes utilisées pendant le Régime anglais sont faciles à identifier, car elles portent toutes l'inscription du monarque régnant. Sur les fusils Snider-Enfiels, par exemple, utilisés vers 1870, on retrouve, généralement sur la crosse, les lettres D.C., signifiant « Department of Canada », dans un triangle. Les armes locales sont souvent gravées de motifs floraux, de dessins géométriques sur les différentes pièces de métal de l'arme.

On ne peut parler des armes québécoises, sans faire mention de la compagnie « Ross Rifles Cie Québec », seule compagnie d'armes qu'ait connue le Québec. Les collectionneurs possédant des renseignements à son sujet sont rares et un seul, M. Frank Dupuis, de l'Alabama, aux États-Unis, semble la connaître vraiment. Cette compagnie a ouvert ses portes, dans la ville de Québec, en 1903 et les a fermées, à midi, le 28 mars 1917. Sa production totale est évaluée à environ 300 000 armes. Plusieurs fusils Ross ont servi pendant la première guerre mondiale. Inutile de dire que ces armes sont très recherchées. Cette compagnie a produit un seul pistolet et cette pièce unique fait partie de la collection de M. Dupuis. Bon nombre d'armes québécoises authentiques sont aujourd'hui en possession des collectionneurs américains.

Les armes authentiques et en bon état étant difficiles à trouver, plusieurs collectionneurs font aussi la restauration. On doit se méfier des armes restaurées frauduleusement et vendues comme authentiques.

Au Québec, il existe une association de collectionneurs d'armes, *l'Association des collectionneurs d'armes du Bas-Canada,*[1] laquelle, entièrement anglophone il y a quelques années, est maintenant bilingue à cause du nombre de plus en plus élevé de collectionneurs de langue française.

LES BOUTEILLES

Accessible à tous — indépendamment du budget dont on dispose — la collection de bouteilles recrute un grand nombre d'adeptes. Ce type de collection permet les échanges nombreux entre les collectionneurs, grâce aux nombreuses expositions et associations qui existent un peu partout au Canada. Au Québec, le *Montreal Historical Bottle Association* a une revue mensuelle[2] et tient une exposition chaque année.

Les raisons de collectionner les bouteilles sont nombreuses. Certains sont à la recherche de bouteilles de différentes formes, couleurs ou grosseurs. D'autres s'intéressent aux très vieilles bouteilles soufflées dans des moules. Les bouteilles à vin des XVIIe et XVIIIe siècles sont très recherchées. Enfin, il y a le collectionneur qui s'intéresse surtout à l'histoire. La bouteille ne sera qu'une pièce de sa documentation historique qui comprendra aussi des photos, documents historiques, etc.

Les isolants sont très en demande et font des collections peu coûteuses. Les collectionneurs, en général, ne vendent pas les isolants, préférant les échanger entre eux. Ce sont les isolants de verre, bleu ou vert, qui sont les plus beaux, et les isolants sans fil qui sont les plus recherchés, ayant été les premiers à être fabriqués au Québec.

Les collectionneurs de bouteilles s'amusent à retracer le trajet des bouteilles, surtout quand il s'agit de bouteilles de vin français. Michel Sainte-Marie, antiquaire et collectionneur, a en sa possession une

1. C.P. 1162, Station B. Montréal.
2. Habitant Diggers.

bouteille d'eau gazeuse, typiquement québécoise, qui a été retrouvée par un de ses amis, en Australie, il y a quelques années.

Les bouteilles de verre se fabriquant de moins en moins depuis l'arrivée des contenants en plastique, elles en acquièrent ainsi plus de valeur. On collectionne maintenant les bouteilles de lait! La demande faisant monter les prix, il arrive qu'une bouteille atteigne un prix fantastique, du moins si on le compare au prix coûtant.

Michel Sainte-Marie collectionne les bouteilles de bière de gingembre (ginger ale) depuis trois ans. Sa collection comprend environ 190 bouteilles de céramique, dont 42 différentes, originaires du Québec. M. Sainte-Marie a, de plus, entrepris d'importantes recherches sur la provenance de ses bouteilles et sur la compagnie qui les a fabriquées. Ainsi, il a appris que l'industrie de l'eau gazeuse a débuté au Canada vers 1830 et que la bière de gingembre faisait partie des premières boissons à être fabriquées. Les bouteilles de céramique ont été très populaires à cause de la protection qu'elles offraient contre les variations de température et la lumière trop forte et de leur grande résistance à la pression. Vers 1940, une loi a interdit l'utilisation de ces bouteilles pour des raisons d'hygiène. Ces bouteilles de céramique coûtaient environ sept cents chacune. Elles étaient de couleurs brun, gris, crème et ivoire pour la plupart, mais quelques-unes ont été fabriquées dans des tons d'ivoire et vert ou ivoire et bleu; celles-ci sont plus rares. Ces bouteilles étaient fabriquées en Angleterre et distribuées au Canada par deux compagnies de Montréal: Munderlock & Col. et Pollack Bros., ainsi que par une compagnie d'Halifax, Welester, Smith & Col.

Les collectionneurs de bouteilles de bière de gingembre sont peu nombreux au Canada. Michel Sainte-Marie est à mettre sur pied la Société historique de la bouteille canadienne de bière de gingembre, pour faciliter le travail d'autres collectionneurs, ses recherches personnelles ayant été très laborieuses.

Voici un exemple de la recherche que Michel Sainte-Marie effectue sur chaque bouteille:

> « M. Farquhar a établi une compagnie d'eaux gazeuses en 1845, au 22 rue Saint-Jacques. En 1850, il déménage au 30 rue Saint-Jacques et, en 1856, il déménage encore au 42 rue Saint-Jacques. En 1861, il change de rue pour se rendre au 51 rue Saint-Urbain et, en 1865, on choisit le 99 Saint-Urbain comme adresse de sa compagnie. M. Farquhar est décédé en 1863 et c'est sa femme, Sarah Farquhar, qui a pris la relève jusqu'en 1869. Pendant les deux années qui ont suivi, la raison sociale de la manufacture était Farquhar & Wilson et, en 1871, la compagnie prit le nom de Charles Wilson, avec comme adresse le 99 Saint-Urbain. En 1877, le nom de la compagnie, qui est toujours à la même adresse, devient Wilson & Recroft. La compagnie ferma ses portes en 1881. Cette compagnie eut donc quatre bouteilles différentes, marquées Farquhar, Farquhar & Wilson, Charles Wilson, et Wilson & Recroft. »

Arme de luxe fabriquée par Ketland,
importée d'Angleterre.
C'est l'arme qu'on présentait au chef indien
pour se gagner ses faveurs
dans la traite des fourrures (elle était fabriquée
spécialement à cet usage).
Le médaillon représente un dragon stylisé.
Mécanisme à silex (1775). (Collection Émile Pellerin)

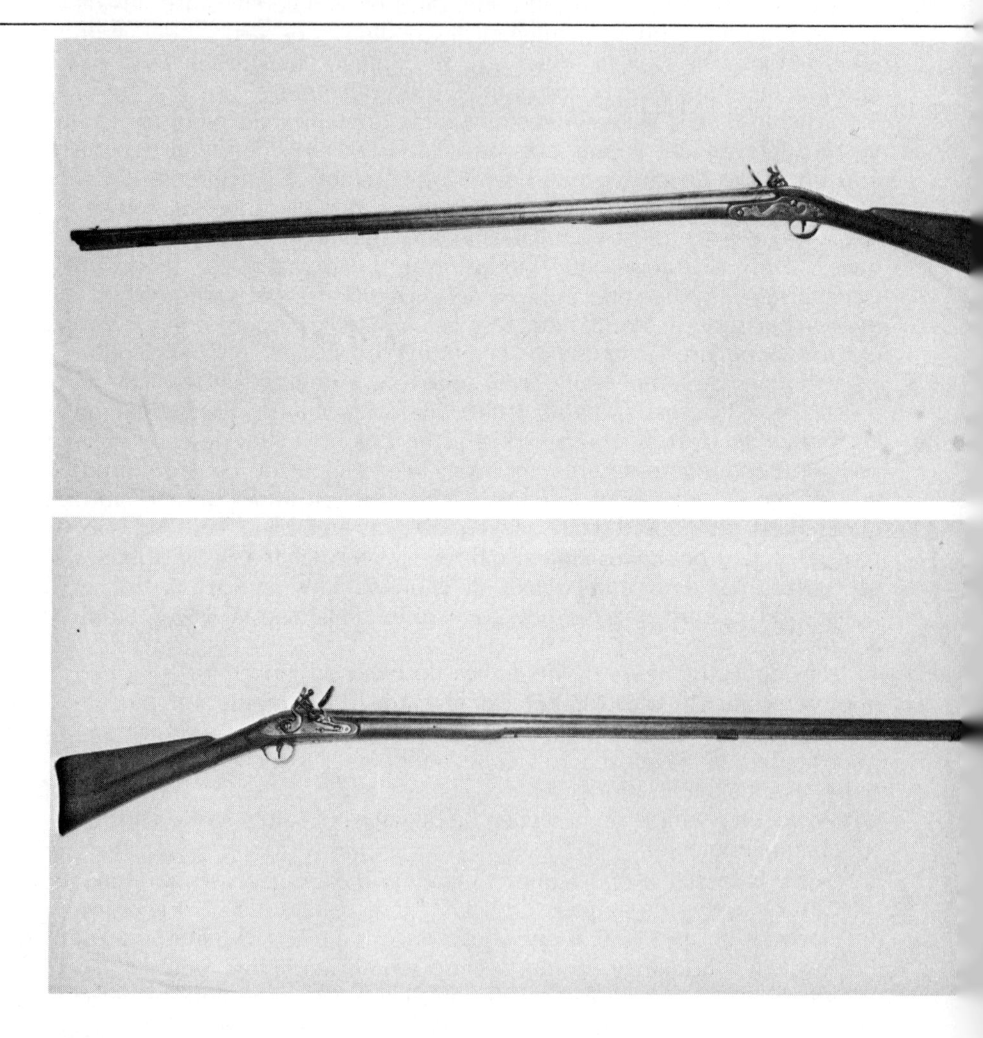

« Sealing gun » fabriqué au Canada,
uniquement pour la chasse au phoque.
La crosse est en érable, les pièces métalliques
ont été importées d'Angleterre.
Mécanisme à cran d'arrêt « dog lock » (extrêmement rare).
L'arme mesure six pieds de long.
Avec corne à poudre assortie, à l'épreuve de l'eau.
(Collection Émile Pellerin)

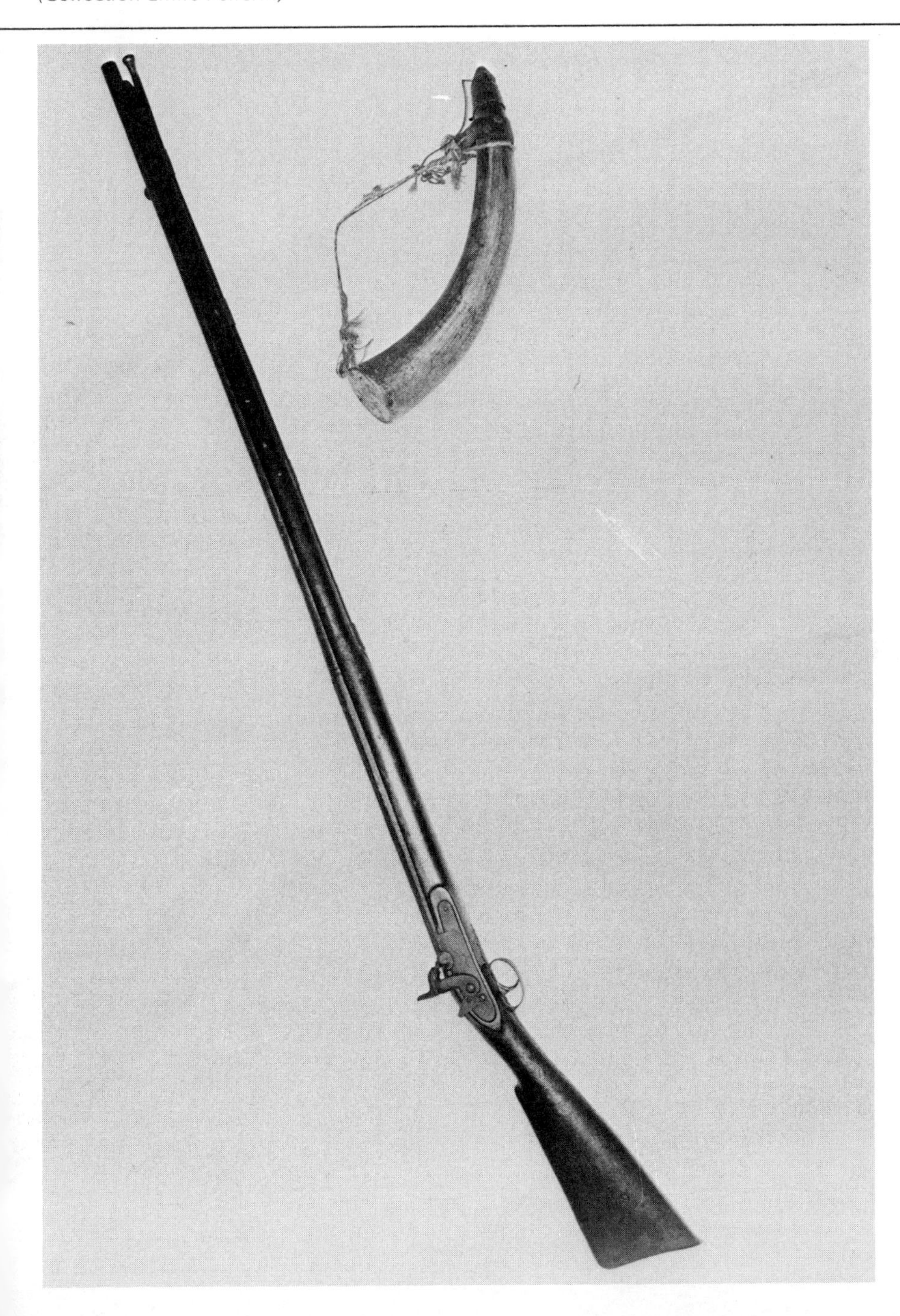

*Fusil fabriqué
entièrement à la main
par un artisan québécois.
Pièce unique
(environ 1875).
(Collection Émile Pellerin)*

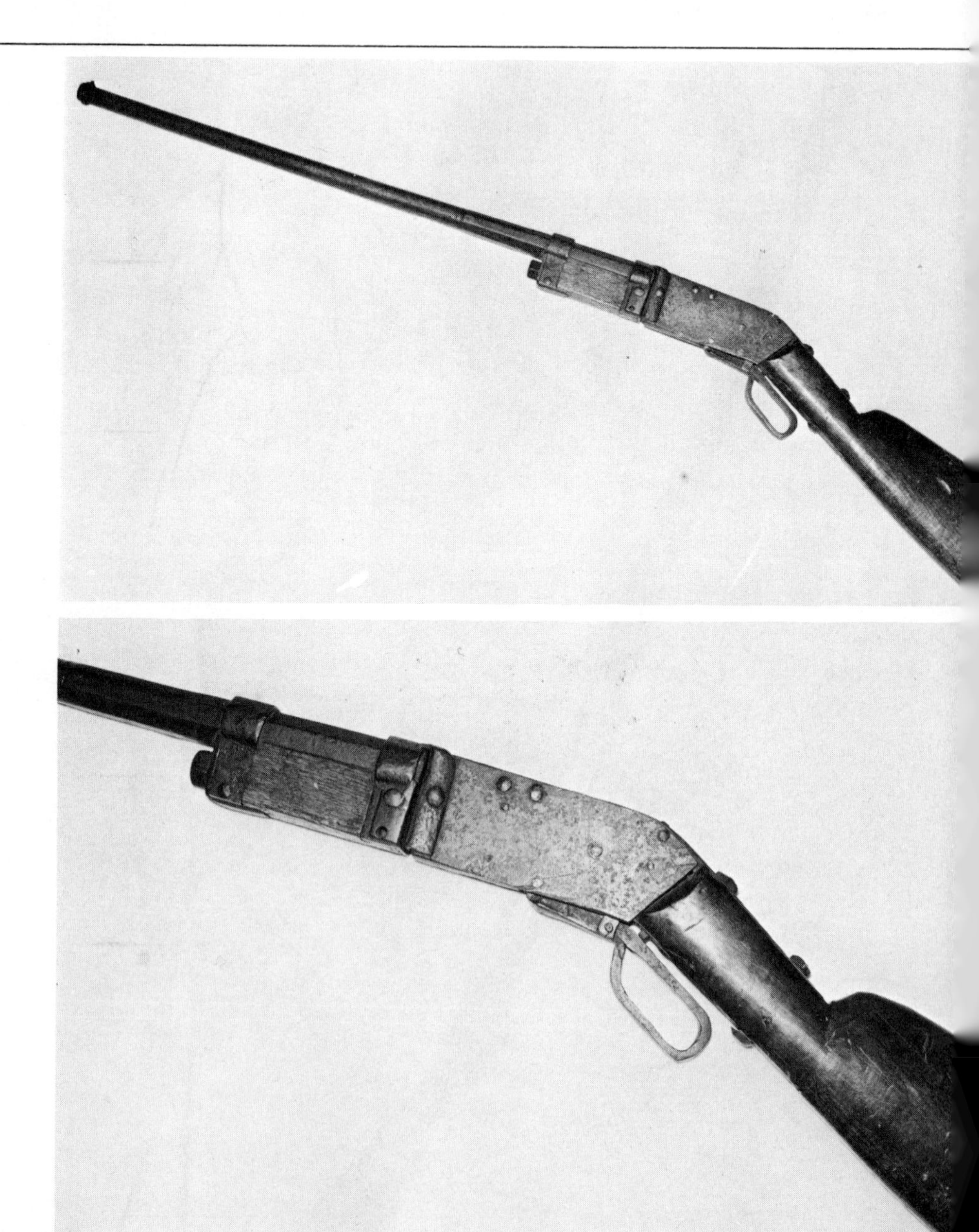

Winchester 1876 de grand luxe, de calibre 4060.
À l'époque, elle se vendait $350.
Le même modèle en version ordinaire coûtait $20 aux colons.
Fabriquée aux États-Unis
et gravée à la main sur acier, au Canada.
Modèle très rare. (Collection Émile Pellerin)

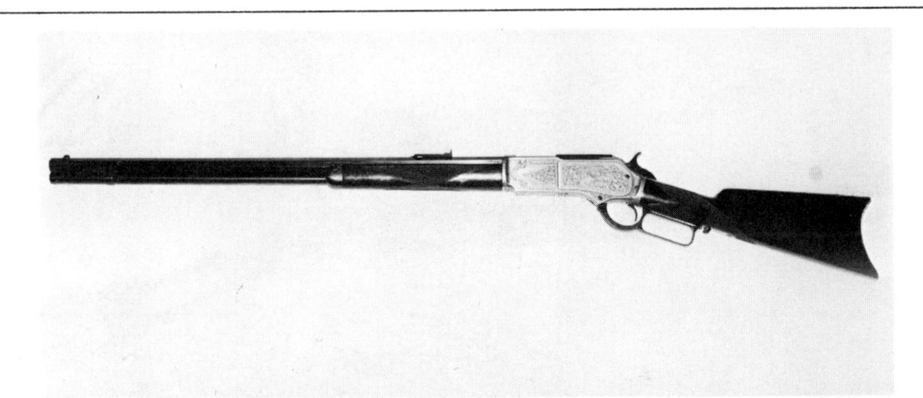

Modèle « régulier » de la Winchester (calibre 44.40).
C'est une carabine de selle,
destinée à être portée à cheval: elle est
donc plus courte et comporte un anneau.
C'est le modèle que Winchester a fabriqué en plus grande quantité
et qui était le plus populaire auprès des Indiens,
des colons et des cowboys. (Collection Émile Pellerin)

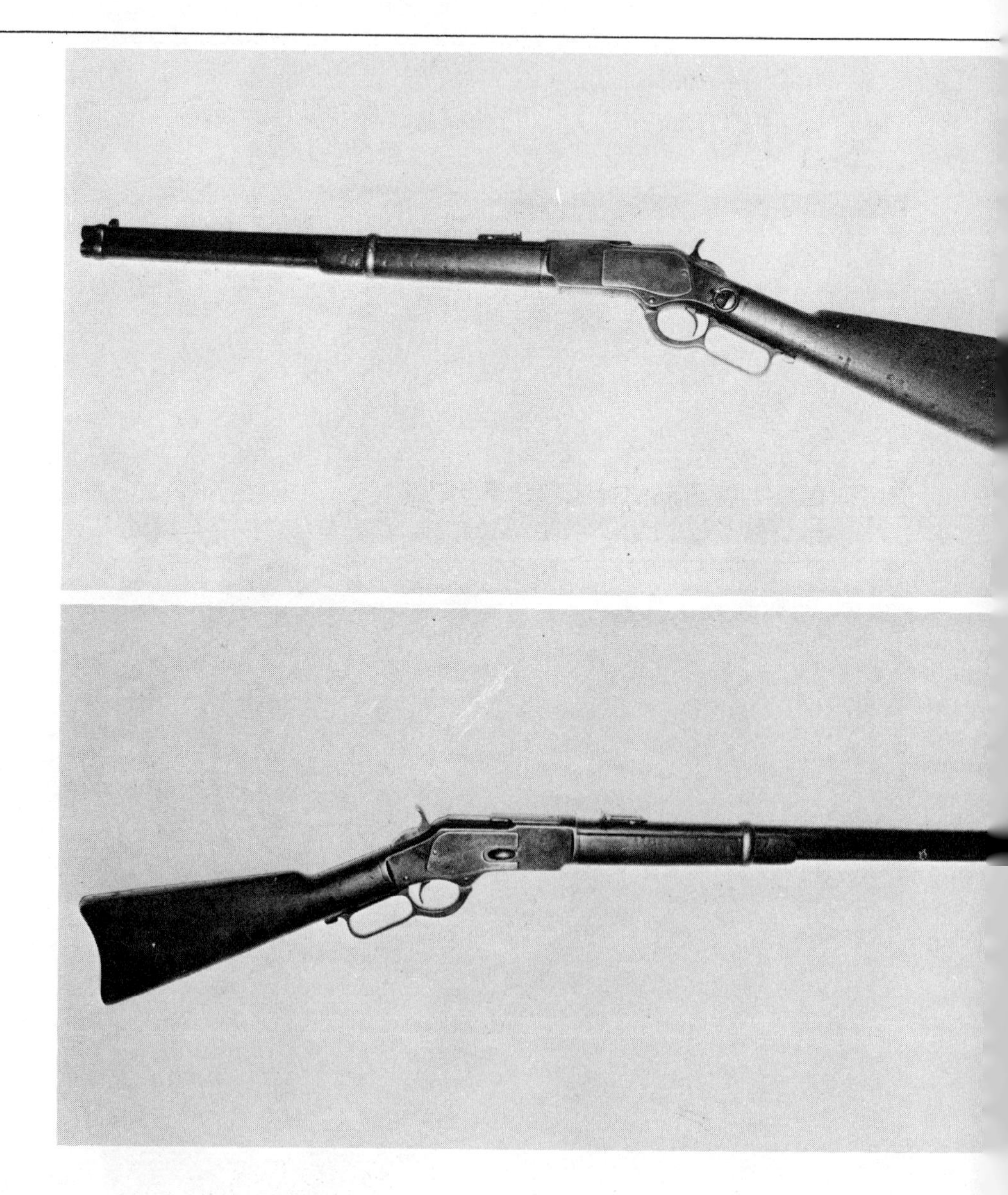

Petits canons qu'on utilisait pour les courses.
En haut, trois pieds de long,
fabriqué au Québec vers 1900; fonctionne à cartouches.
L'autre est de fabrication européenne;
on le chargeait par le canon,
avec de la poudre (environ 1850). (Collection Émile Pellerin)

Modèle régulier correspondant à l'arme de traite de luxe.
Dragon en médaillon (fin du XVIIIe).
(Collection Émile Pellerin)

Cette Snider fabriquée en Angleterre vers 1870
se vendait $2 dans les surplus de guerre.
Tous les cultivateurs du Québec
en possédaient une chez eux. (Collection Émile Pellerin)

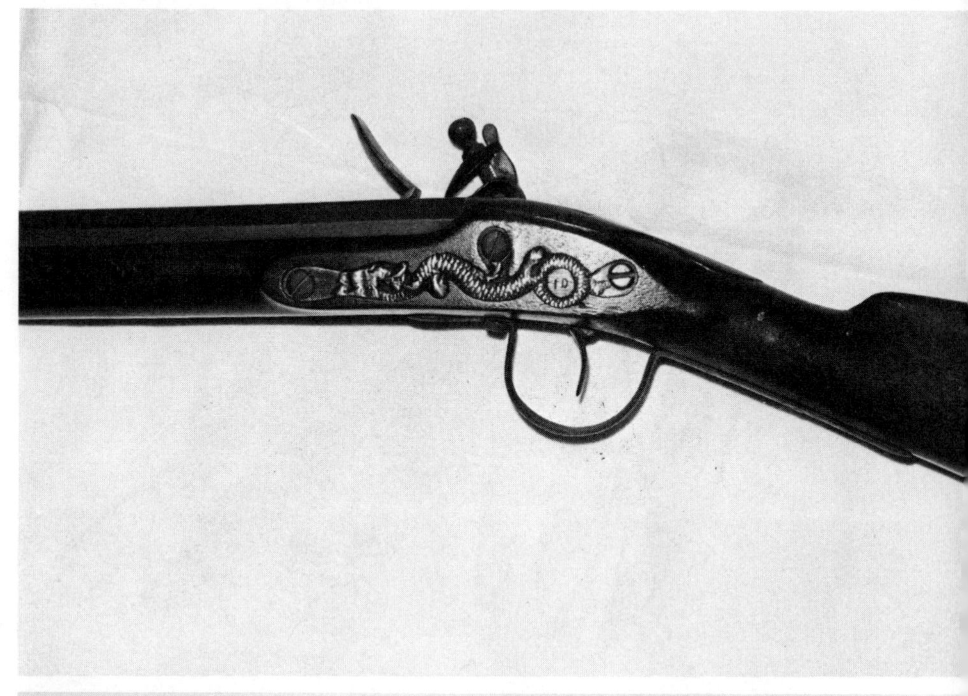

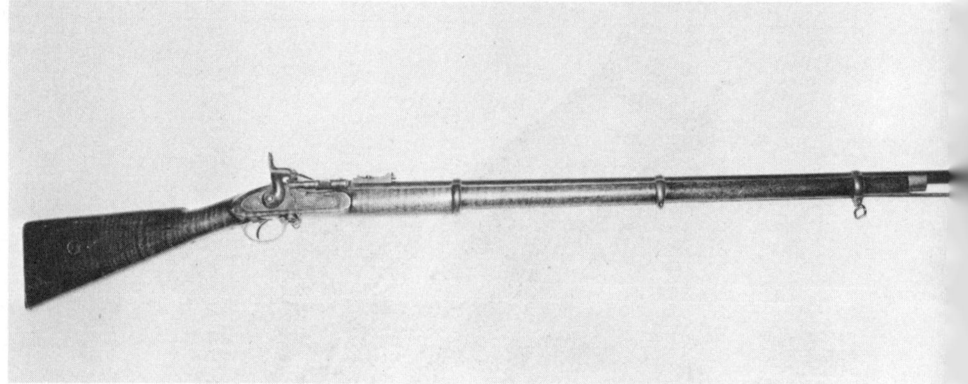

Ces pistolets militaires Tower servaient à l'armée canadienne à la fin du XVIIIe siècle.
Par la suite, ils ont été revendus au public.
(Collection Émile Pellerin)

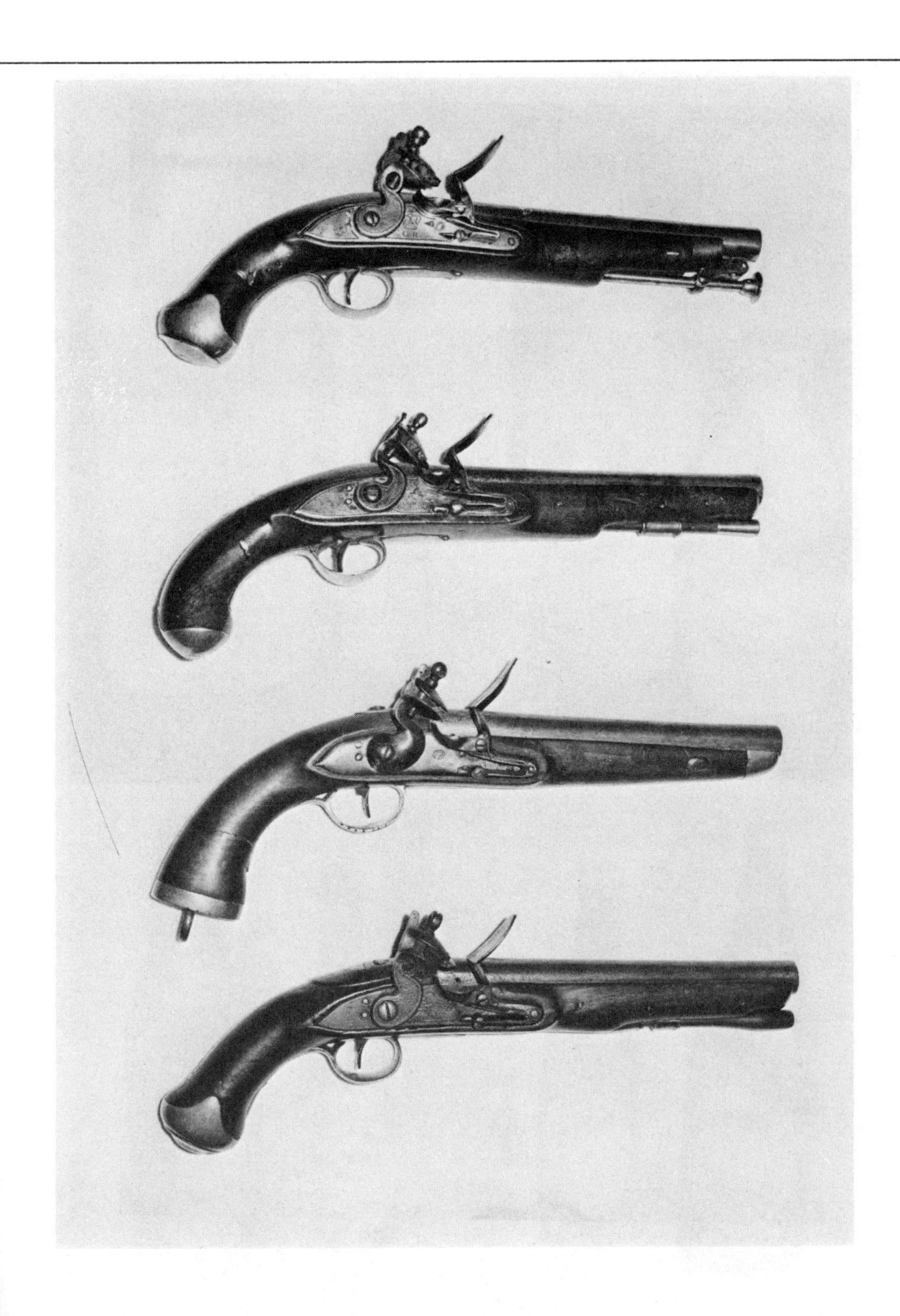

Bouteilles en poterie blanche utilisées pour la vente de l'encre, à l'exception de la petite qui contenait du poli à meubles. Vers 1900.
(Collection Michel Sainte-Marie)

Bouteilles de bière vendues De 1880 à 1930.
par les brasseries québécoises.
(Collection Michel Sainte-Marie)

Tasse, bouteille et cendrier
en poterie de fabrication canadienne,
utilisées par la compagnie Gurds, fabricants
de liqueurs douces au Québec. 1935.
(Collection Michel Sainte-Marie)

Bouteilles de verre utilisées par les pharmaciens pour la vente des médicaments. 1880-1900. (Collection Michel Sainte-Marie)

Bouteilles de verre utilisées par différents fabric… québécois de liqueurs douc… de 1860 à 1900. (Collection Michel Sainte-M…

À côté du camion-jouet,
une des premières bouteilles utilisées
par la compagnie Coca-Cola à Montréal vers 1912.
(Collection Michel Sainte-Marie)

Boîtes de carton des cartouches fabriquées par la compagnie Dominion Cartridge vers 1895. À noter une des marques de commerce traditionnelles illustrant un castor, très souvent utilisée par les marchands pour identifier les produits québécois. (Collection Michel Sainte-Marie)

Photos de famille prises par J. T. Lambly et G. C. Arless, photographes montréalais, vers 1
(Collection Michel Sainte-Marie)

Collection de camées, période victorienne.
Les camées faisaient partie
des bijoux préférés des Québécoises, particulièrement
à cause de leur aspect romantique.
(Collection Michel Saint-Marie)

Articles divers utilisés pour la publicité des brasseurs au tournant du siècle. (Collection Michel Sainte-Marie)

Plaque murale en plâtre représentant un moment historique de la vie de Frontenac, utilisée à des fins publicitaires par la brasserie Frontenac. Vers 1925. (Collection Michel Sainte-Marie)

Presse-papiers en verre offerts par diverses compagnies comme articles publicitaires. De 1890 à 1920. (Collection Michel Sainte-Marie)

En haut, boîte à tabac en métal.
En bas, trois paquets
de tabac à pipe et à cigarettes.
(Collection Michel Sainte-Marie)

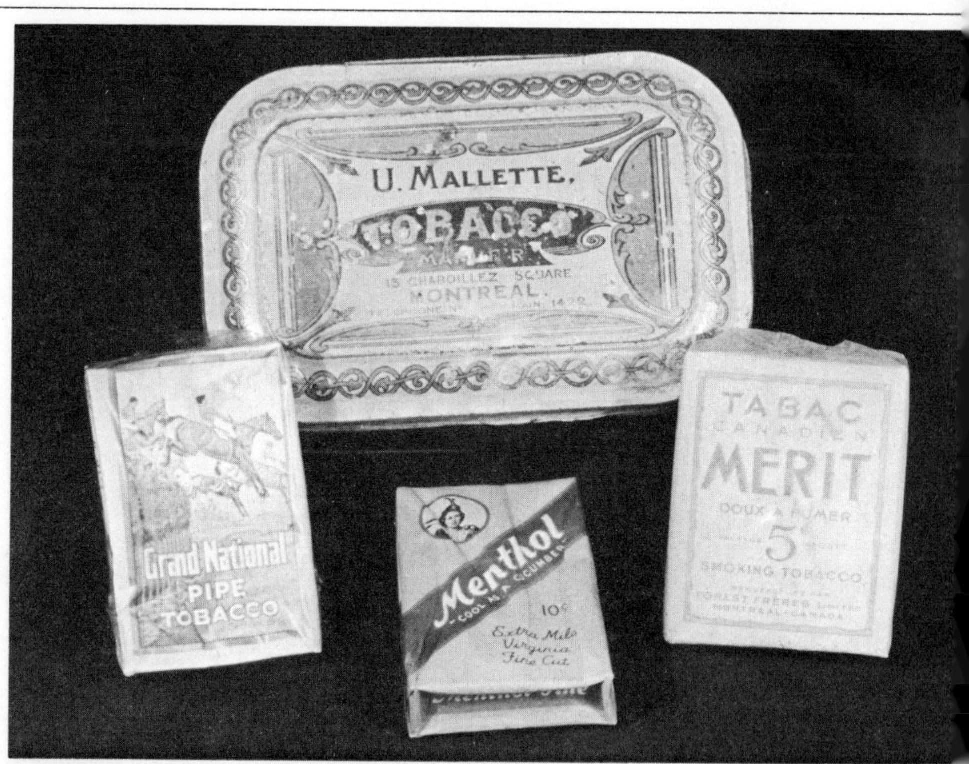

Billets de tramways
et de correspondance utilisé
vers 1900 à Montréal,
Québec et Ville Saint-Pierre.
(Collection Michel Sainte-Ma

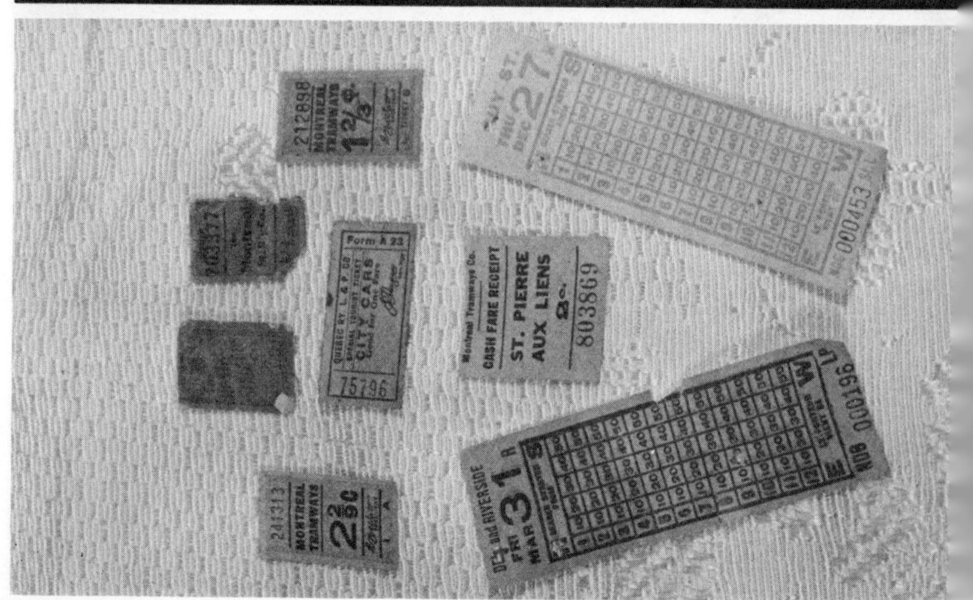

Cuillers-souvenirs québécoises en argent représentant diverses scènes dont une vue de Montréal, les rapides de Lachine et une calèche québécoise. Vers 1900. (Collection Michel Sainte-Marie)

Trois modèles de lampes à l'huile miniatures en verre transparent et coloré, utilisées au Québec vers 1900. (Collection Michel Sainte-Marie)

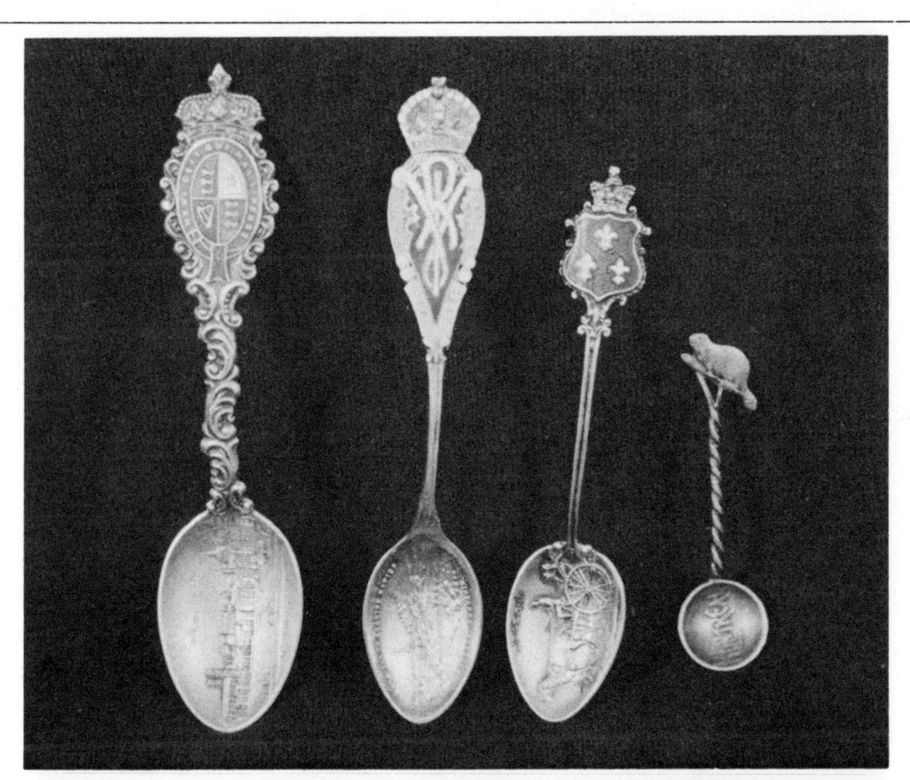

Voici une liste partielle des manufacturiers d'eau gazeuse dans la province de Québec. Chacun de ces manufacturiers est susceptible d'avoir eu des bouteilles marquées à son nom. Cette liste a été établie par Michel Sainte-Marie.

Robert Allan, Montréal	(1880 à aujourd'hui)
Archambault, Montréal	(1890)
Médéric Archambault & Fils, Bout de l'Île	(environ 1900)
Julien Audette, Saint-Jean	(environ 1900)
J. E. Beaudoin, Montréal	(1873-1891)
George A. Bédard, Richmond	(environ 1900)
John S. Bowen, Québec	(1860-1870)
John L. Bérubé, Montréal	(1868-1870)
H. A. Bisaillon, Farnham	(environ 1900)
H. Blackburn, Hull	(environ 1900)
Blackwood & Birks, Montréal	(1875-1876)
R. Blackwood & Co., Montréal	(1876-?)
Benning & Bowen, Québec	(1857-1859)
A. Brault, Saint-Gabriel	(environ 1900)
Adolphe Bruneau, Sorel	(environ 1871)
Kenneth Campbell, Montréal	(environ 1877-1903)
Canadian Aerated Water Co., Montréal	(environ 1900-1916)
H. C. Charland, Sorel	(environ 1900)
Cléophas Choquette, Montréal	(environ 1892)
Christin & Beaudoin, Montréal	(1878-1880)
Charles A. Christin, Montréal	(1872-1877)
Édouard Christin, Montréal	(1866-1879)
Christin & Béliveau, Montréal	(1865-1866)
Christin & Dorion, Québec	(1876-1877)
George Christin, Montréal	(1866-1879)
Joseph Christin & Co., Montréal	(1855 à aujourd'hui)
The Coca Cola Co., Montréal	(1909 à aujourd'hui)
Consumer Ginger Beer Co., Montréal	(?)
Arthur Cooper, Montréal	(environ 1890-1900)
Cooper, Birks & Co., Montréal	(1876-1877)
Hector Cooping, Montréal	(environ 1893)
Étienne Cordeau, Saint-Hyacinthe	(environ 1902)
Cordeau & Lajoie, Saint-Hyacinthe	(environ 1895)
J. L. Corriveau, Saint-Louis de Courville	(?)
Vital Cousineau, Montréal	(environ 1872-1880)
Andrew Crawford Jr., Québec	(1881-?)
Crystal Aerated Water Co., Valleyfield	(environ 1900-1910)
Crystal Soda Water Co., Montréal	(environ 1921)
Antoine Desjardins, Saint-Jérôme	(environ 1910)
C. B. Dewitt, Montréal	(environ 1902)
P. Dignard & Co., Québec	(1876-1899)
Dominion Soda Water Co., Montréal	(1909-1927)

J. E. Dozois, Granby	(environ 1900)
Napoléon Dufour, Montréal	(environ 1887)
Embouteillage Indépendant, Québec	(environ 1916)
M. Farquhar, Montréal	(1845-1869)
Farquhar & Wilson, Montréal	(1869-1871)
A. Ferland & Co., Montréal	(1892-1900)
J. W. Ferland & Co., Montréal	(environ 1914)
F. A. Fluet, Québec	(1902-?)
Hormidas Forand, Waterloo	(environ 1915)
Elz. Fortier & Cie, Québec	(1899-?)
Frisco Bottling Co., Montréal	(?)
Frisco Soda Water Co., Montréal	(1915-1936)
F. Gagné & Co., Bryson	(environ 1894)
A. H. Garneau, Magog	(environ 1900)
H. Girouard, Montréal	(avant 1915)
P. H. Greenbank, Montréal	(1911-1913)
Charles Gurd & Co. Limited, Montréal	(1871 à aujourd'hui)
Horace Hills & Daniel Ashton, Waterloo	(environ 1892)
H. Horskin, Bedford	(environ 1902)
The Ideal Soda Water Co., Montréal	(environ 1915)
A. F. Jasmin, Sainte-Thérèse-de-Blainville	(environ 1890)
Jos. E. Jodoin, Montréal	(environ 1890)
Jos. Laframboise, Montréal	(environ 1890)
Jos. Lafrenière & Co., Montréal	(environ 1895)
T. Laniel, Valleyfield	(environ 1910)
Adélard Lapierre, Joliette	(environ 1902)
Candide Larivée, Chambly Bassin	(environ 1900)
Charles Ledoux, Saint-Hyacinthe	(environ 1877)
Cléophas Leduc, Saint-Casimir	(environ 1915)
A. Lefebvre & Co., Montréal	(environ 1894)
A. Lefebvre & Co., St. Henry	(environ 1892)
Michel Lefebvre, Montréal	(1855-1868)
Hiram Leibovitch, Montréal	(environ 1915)
John Lewis & Co., Montréal	(environ 1876)
Lewis & Nutter, Montréal	(environ 1878)
F. B. Mathys, Montréal	(environ 1910)
Mercure & Dudemaine, Montréal	(environ 1878)
Robert Millar, Montréal	(1887-1925)
P. A. Milloy, Montréal	(1890-1911)
Abondius Mireault, Joliette	(environ 1915)
Victor Monette, Valleyfield	(environ 1895)
Montreal Aerated Water Co., Montréal	(environ 1895)
Montreal Mineral Water Co., Montréal	(environ 1905)
Nérée Y. Montreuil, Québec	(environ 1891)
John Musson, Québec	(1850-1861)
John Musson & Co., Québec	(1862-1880)
McGibbon & McCalman & Co., Montréal	(1884-1887)

National, Montréal	(environ 1921)
George Noël, Montréal	(environ 1915)
North Star Ginger Ale And Soda Water Manufacturer, Montréal	(environ 1912)
Seth C. Nutter, Sherbrooke	(environ 1894)
Nutter & Dick, Montréal	(environ 1878)
G. R. Odell, Sherbrooke	(avant 1908)
Wm. O'Hara, Saint-Rémi	(environ 1890)
Paquet & Fluet, Québec	(1892-1901)
J. H. Péloquin, Coaticook	(environ 1915)
J. A. Pépin & Co., Beaupré	(environ 1915)
Pilgrim's Ginger Beer, Aylmer	(environ 1910)
J. A. Plante, Cap-de-la-Madeleine	(environ 1916)
The Red Seal Spring Co. Ltd., Montréal	(1913-1916)
Regal Bottling Works, Saint-Hyacinthe	(environ 1915)
Jos. Renaud, Montréal	(environ 1893)
J. Rivet, Sorel	(environ 1910)
C. Robillard, Montréal	(1887-1950)
Joseph Roman, Montréal	(environ 1897)
J. C. Rousseau, Trois-Rivières	(environ 1900)
John E. Rowan, Montréal	(environ 1917)
Rowan Bros. & Co., Montréal	(1899-1917)
Frank W. Rowe & Co., Montréal	(environ 1895)
E. Rowlings, Montréal	(environ 1876-1881)
A. Sabourin, Hull	(environ 1900)
E. H. Sabourin, Mont-Laurier	(environ 1916)
Silver Spring Bottling Works, Sherbrooke	(environ 1895)
P. Sinivovitch, Montréal	(environ 1902)
J. St. Denis, Sherbrooke	(environ 1910)
Stewart Bottling Co., Montréal	(1910-?)
St. Hyacinthe Mineral Water Co., Saint-Hyacinthe	(environ 1890-1903)
St. Leon Water Co., Montréal	(environ 1896)
John W. Stocks, Sherbrooke	(environ 1900)
James Timmons & Co., Montréal	(1885-1890)
M. Timmons, Québec	(1875-1880)
M. Timmons & Son, Québec	(1881-?)
Emma Tisdale & Co., St. John	(environ 1895)
Thomas Trenaman, Trois-Rivières	(environ 1877)
Trottier & Co., Saint-Casimir	(environ 1915)
Ovila Trudeau, Montréal	(environ 1893)
I. Turmel, Thetford Mines	(environ 1915)
Union Soda Water Co., Montréal	(environ 1900)
D. Veillet & Co., Sainte-Geneviève-de-Batiscan	(environ 1915)
The Robert White & Co. Ltd., Montréal	(environ 1921)
Wm. H. Wiggett, Sherbrooke	(environ 1892-1909)
Charles Wilson, Montréal	(1871-1876)
Wilson & Recroft, Montréal	(1877-1881)

Pierre Boutin, Québec	(1860-1873)
Boutin & Carrier, Québec	(1891-1898)
James Clarke, Montréal	(1845-1868)
James Flynn, Montréal	(environ 1845)
Arthur Marcotte, Sorel	(environ 1902)
Nathaniel Morrell, Montréal	(environ 1845)
Edward Renwick, Montréal	(environ 1851-1865)
Roy, Mercure & Quevillon, Montréal	(1875-1877)
John Scott, Montréal	(environ 1845)
Richard Williams, Montréal	(environ 1851)
Sargent & Renwick, Montréal	(environ 1848)

LES BIBELOTS ANCIENS

On trouve parmi les bibelots anciens — jouet miniature, pot d'apothicaire, boîte à thé ou à tabac — autant d'objets utiles que d'éléments purement décoratifs. Ces bibelots sont en bois, en fer, en métal, en faïence ou en verre. On ne trouve hélas plus de bibelots en tissu ou en papier, car ces matériaux trop délicats n'ont pu résister à l'usure du temps.

Le collectionneur de bibelots n'hésite pas à les utiliser comme éléments de décoration. Le bibelot ancien peut déroger aux règles d'usage de son époque; ainsi, un plat à barbe peut être suspendu à un mur et une boîte ancienne à tabac peut recueillir trombones ou timbres-poste. Il faut cependant éviter l'accumulation de bibelots. En effet, mieux vaut ranger certains objets plutôt que de les entasser et de surcharger une pièce, ce qui est toujours inesthétique. En décoration, les deux critères de réussite sont la mesure et la réserve. On peut cependant rassembler cinq ou six objets, sept ou huit à la rigueur, sur une étagère qui leur sera réservée, ou encore derrière une vitrine.

Réparation. Entretien. Il n'est pas recommandé de faire du bricolage sur les bibelots anciens, car ces objets sont très fragiles et une réparation mal réussie leur enlève toute valeur. On nettoie ces objets anciens de la façon habituelle, comme on nettoie les objets modernes. Le cuivre et le métal doivent briller, alors que le bronze doit conserver une teinte brune.

L'antiquaire peut fournir de précieux conseils sur la façon d'entretenir ces bibelots anciens.

CHAPITRE XI

Expositions et foires

Les amateurs, collectionneurs, antiquaires, ces spécialistes, toujours à la recherche des belles choses anciennes, se réunissent dans des expositions ou des foires qui se tiennent dans tout le pays. Plusieurs de ces manifestations ont lieu annuellement, à date fixe.

Les foires les plus réputées mondialement sont la *Biennale des Antiquaires,* qui se tient tous les deux automnes, à Florence, et la *Biennale des Antiquaires,* qui a lieu tous les deux ans, en octobre, à Paris. Tous les étés, la *Foire des Antiquaires,* à Deft, réunit des spécialistes venus des quatre coins du monde.

Au cours de ces expositions internationales, les professionnels confrontent leurs marchandises et c'est à ce moment que les prix s'ajustent à l'échelle mondiale. Ainsi, les meubles ou objets d'une époque donnée seront vendus le même prix chez une certaine catégorie d'antiquaires, qu'ils soient de New York, Londres, Paris ou Montréal.

Au Canada, il en va de même sur le plan national. Grandes expositions, réunions ou foires d'antiquaires sont annoncées dans les journaux locaux ou les revues spécialisées.

De leur côté, les antiquaires et collectionneurs du Québec se réunissent régulièrement, un peu partout à travers la province. Ce sont là des occasions d'acheter, d'échanger ou de se tenir au courant de ce qui se passe.

Voici la liste de quelques expositions et foires annuelles où collectionneurs, amateurs et antiquaires du Québec, du Canada et des États-Unis se retrouvent.

Association des collectionneurs d'armes du Bas-Canada

Cette association tient une exposition environ tous les trois mois à Montréal et une autre à Ottawa en mai. Une trentaine de collectionneurs exposent et vendent des armes à feu, armes blanches, munitions, décorations militaires, livres spécialisés.

Association des collectionneurs d'armes du Bas-Canada, C.P. 1162, Station B, Montréal.

Cantons de l'Est

Depuis 14 ans, les antiquaires se réunissent à North Hatley, dans une école centenaire, pour acheter ou échanger divers meubles et articles.

Priorité est donnée aux meubles, mais on trouve aussi de la belle faïence, des objets de verre, des bijoux, peintures et monnaies. L'exposition se tient pendant une fin de semaine de juillet et l'admission se fait par réservation.
North Hatley est situé à 15 milles au sud de Sherbrooke.

Carrefour Laval

Exposition d'antiquités dans ce centre commercial à la mi-juillet. Se tient tous les ans depuis 1974.

Fairview Show

À la mi-octobre, exposition d'antiquités.
Au centre commercial Fairview à Pointe-Claire.

Fort de Liesse

La bourse mensuelle de timbres et monnaies Fort de Liesse a lieu à l'Hôtel du même nom, 6705 Côte-de-Liesse à Montréal. On y achète, vend et échange.
Allen Villeneuve, C.P. 203, St-Bruno. 1-514-653-0728.

Laurentides

Exposition annuelle d'antiquités des Laurentides à Shawbridge. Se tient vers la mi-août et regroupe ordinairement une vingtaine d'antiquaires de la région. Commandité par le Shawbridge Boys' Farm & Training School, route no 11, Shawbridge.

Montréal

La réunion des antiquaires au Forum de Montréal est l'une des plus importantes foires où l'on expose et vend toutes les antiquités possibles. Tenue pour la première fois en 1974, elle a attiré plus de 80 antiquaires venant d'un peu partout au Québec et en Ontario pour exposer leurs pièces. Plus de la moitié des articles étaient d'origine canadienne et québécoise, le reste étant européen. On y trouvait également un comptoir de vieux livres. Admission $2 et $3. KAE Productions.

Montréal

Antiquités Bonaventure, Place Bonaventure, est l'une des foires d'antiquaires les plus importantes au Canada. Elle réunit quelques centaines d'antiquaires de tous les coins du Canada, et même des États-Unis. Une immense partie des articles sont d'origine canadienne. On y trouve quantité d'objets et de meubles à tous les prix et pour tous les goûts. Deux fois par année, les collectionneurs peuvent donc profiter de l'occasion de se tenir au courant ou d'acheter et même d'échanger certains articles. Ces foires ont lieu au mois de décembre et en juillet. Rudy Franky, 16, avenue Sommerville, Westmount. 1-514-845-8002.

Montreal Historical Bottle Associations

Exposition annuelle à Montréal au mois d'octobre. Environ 25 collectionneurs vendent ou échangent des bouteilles de toutes sortes. Ils viennent du Québec, de l'Ontario et quelquefois des États-Unis. Montreal Historical Bottle Association, C.P. 184, Ville Mont-Royal ou Michel Sainte-Marie, 1-514-481-2012.

Montréal-Ouest

Au mois d'avril, tous les ans, une exposition d'antiquités se tient à l'hôtel de ville de Montréal-Ouest.

ORT Show

Tous les printemps, dans un hôtel de la métropole, l'ORT (Organization for rehabilitation through training), association juive, tient une exposition d'antiquités.

Québec

Généralement, au mois de novembre, les antiquaires québécois se réunissent au Château Frontenac de Québec pour acheter et échanger meubles et articles divers.

River Field

Tous les antiquaires du sud-ouest du Québec et quelques autres, venant d'ailleurs dans la province, se réunissent à l'automne, à River Field, à quelques milles de Huntingdon, près de la frontière américaine. Les Américains profitent ordinairement de cette occasion pour acheter des antiquités canadiennes et québécoises.

Sherbrooke

Les antiquaires de toute la province, spécialement ceux de Sherbrooke et des Cantons de l'Est, se réunissent tous les ans à Sherbrooke, la dernière fin de semaine de septembre.

Valleyfield

Depuis 1974, plusieurs antiquaires de la région de Valleyfield se réunissent à la fin août à Valleyfield.

Victoria Hall

Exposition d'antiquités en novembre, organisée par le IODE (Independant Order of the Daughters of the Empire) au Victoria Hall de Westmount.

Women's Arts

Réunion annuelle d'antiquaires commanditée par le Women's Arts.

Journée mensuelle chez les antiquaires

Tik-Trips organise chaque mois des visites chez les antiquaires québécois. Dans la banlieue et en province. Une excellente occasion de découvrir de nouvelles adresses et de se familiariser avec notre patrimoine. Ces visites sont planifiées par Carolyn Harrison, 1795, rue Southmount, Saint-Bruno. 1-514-653-1625.

CHAPITRE XII

Les bonnes adresses

Pour se familiariser avec le patrimoine, il est intéressant et enrichissant de visiter les différents musées de la province.

Seuls les musées et endroits historiques, à part certains collectionneurs érudits ont conservé certaines pièces inestimables. En plus de ces pièces authentiques de mobilier, on peut admirer dans ces endroits de belles pièces artisanales de menuiserie, de fonderie, de ferblanterie et d'orfèvrerie, de faïence et de céramique.

Bon nombre d'endroits historiques et de musées que ce livre suggère de visiter (voir liste ci-après) ont des employés qui fournissent toutes les explications nécessaires.

Des randonnées à travers le Québec permettent également de découvrir une partie de notre héritage culturel, de même que des promenades dans le Vieux-Montréal et le Vieux-Québec.

À MONTRÉAL

Château de Ramezay

Le plus important musée historique de Montréal et l'un des immeubles les plus intéressants. Construit en 1705 par le gouverneur Claude de Ramezay. Collection superbe. 290 est, rue Notre-Dame. 1-514-861-3708.

Écuries d'Youville

Restaurées par un groupe d'hommes d'affaires de Montréal. Trois bâtiments disposés en U. Du 296 au 306 Place d'Youville.

Église Notre-Dame

On dit que c'est la plus belle église en Amérique du Nord. Ouverte en 1829.

La Maison des Arts La Sauvegarde

La Maison des Arts La Sauvegarde dont la construction remonte à la fin du XVIIIe siècle a été transformée en galerie d'art et porte le nom « La Maison des Arts La Sauvegarde », 160 est, rue Notre-Dame. 1-514-861-2658.

Maison Du Calvet

Construite vers 1725, elle servit de domicile à Pierre du Calvet. Angle Saint-Paul et Bonsecours.

Maison de Beaujeu

Construite durant la dernière partie du XVIIIe siècle, 320 est, rue Notre-Dame.

Maison del Vecchio

Restaurée en 1967-68. 404 Place Jacques-Cartier.

Maison Papineau
Résidence de Louis-Joseph Papineau. La plus grande partie de la maison remonte aux environs de 1750. Eric MacLean, propriétaire actuel, a restauré cette maison jadis abandonnée et lui a redonné son ancienne splendeur à l'extérieur comme à l'intérieur. 440 rue Bonsecours.

Maison Saint-Gabriel
Meubles québécois du début de la colonisation. Elle a conservé son aspect traditionnel, foyer de 1668, évier de 1721, etc. Sculptures sur bois ayant appartenu à des églises maintenant disparues. 2146 rue Favard. 1-514-935-8136.

Maison Viger
Ayant appartenu à Denis-Benjamin Viger, elle fut construite entre 1803 et 1805. 410 Place Jacques-Cartier.

Marché Bonsecours
La construction de l'immeuble du marché s'échelonna de 1845 à 1852. Servit d'hôtel de ville jusqu'en 1878; à partir de cette date l'édifice fut utilisé comme marché jusqu'en 1964.

Maison du Patriote
Faisant partie du domaine Viger (1775), cette maison a été épargnée par le grand incendie de 1803. 169 est, rue Saint-Paul.

Musée de l'auto
12470 rue Lachapelle.

Musée des Beaux-Arts de Montréal
1193 Place Phillips. 1-514-866-1505.

Musée historique canadien
3715 chemin de la Reine-Marie. 1-514-728-5959.

Musée militaire et maritime
Fort de l'Île Sainte-Hélène. 1-514-521-7172.

Musée McCord
Collection de costumes d'époque et de photographies. 690 ouest, rue Sherbrooke. 1-514-392-4778.

Musée Notre-Dame-du-Bonsecours
Situé à l'arrière de la chapelle. On y illustre la vie de Marguerite Bourgeoys à l'aide de poupées.

Notre-Dame-du-Bonsecours
La plus vieille église de Montréal. La chapelle a été construite en 1657 pour Marguerite Bourgeoys. On l'appelle aussi la chapelle des Matelots.

Nova et Vetera (galerie d'art)
Meubles québécois traditionnels. Collège Saint-Laurent, 625 boulevard Sainte-Croix. 1-514-747-6521. Ouvert du lundi au vendredi de 11h. à 16h.

À QUÉBEC

Centre Marie de l'Incarnation
Patrimoine des Ursulines, crâne de Montcalm et caves de Murray. Maison construite en 1824. 12 rue Donnacona. 1-418-529-9423.

Institut national de la civilisation
Armoires et coffres.

La Maison Montcalm
La valeur historique et architecturale de ce complexe a incité les architectes Laroche et Dery à le restaurer et le réaménager complètement. Situé aux 45, 47, 49 et 51 rue des Remparts.

La Place Royale
Champlain y construisit l'Habitation en 1608. Plusieurs maisons restaurées sont ouvertes aux visiteurs: La Maison le Picart (1763); Maison Dumont (1689); Maison Milot (1691); Maison Charest (1757); Maison LeBel (1685); Maison Fornel (1735); Église Notre-Dame-des-Victoires (1688).

La Vieille Maison des Jésuites
Antiquités québécoises. 2320 Chemin des Foulons. 1-418-685-5015.

Le Musée de Cire
22 rue Sainte-Anne (face au Château Frontenac). 1-418-522-4245.

Le Musée du Séminaire
Oeuvres d'art canadien, timbres et monnaies. 6 rue de l'Université (à gauche de la Basilique), 1-418-529-9931. Hors saison: rendez-vous seulement.

Les Voûtes Talon
Première brasserie en Nouvelle-France (1668). 1033 rue des Prairies. 1-418-529-8111.

Maison Chevalier
Évolution du meuble québécois traditionnel. Construite en 1752, la Maison Chevalier a été restaurée récemment. Près de la Place Royale. 1-418-643-9689.

Morrin College Dungeons
Les cellules originales de l'ancienne prison municipale. 44 rue Saint-Stanislas. 1-418-522-2967.

Musée du Fort
L'histoire militaire de Québec. 10 rue Sainte-Anne. 1-418-524-9624.

Musée du Québec
Histoire de la civilisation canadienne-française. Au centre des Plaines d'Abraham. 1-418-643-2159.

Musée du Royal 22e Régiment
Collection d'armes, d'uniformes et de documents relatifs à la vie militaire. La Citadelle.

Musée historique des Augustines
Situé dans l'hôpital l'Hôtel-Dieu, ce musée fait état du patrimoine des religieuses aux XVIIe et XVIIIe siècles. 32 rue Charlevoix. 1-418-529-9576.

Direction générale du patrimoine
Ministère des Affaires culturelles, 6 rue de l'Université.

Hospitalité Québec
Excursions aux endroits historiques de Québec. 17 rue Saint-Louis. 1-418-694-0457.

La maison Chevalier,
Place Royale à Québec.

Maison Louis-Joseph Papineau,
dans le Vieux-Montréal.

e château Ramezay,
Montréal.

glise Notre-Dame-des-Victoires,
lace Royale, à Québec.

EN PROVINCE

ALMA

Musée d'Alma

Plusieurs objets ayant appartenu à nos ancêtres.

ANGE-GARDIEN ET CHÂTEAU-RICHER

Plusieurs maisons datant du XVIIIe siècle.

BERTHIER

Village du Défricheur

Chapelle de la Mission, magasin général, vieux manoir, grenier de la grand-mère, moulin à vent. Le Village est ouvert du premier juin au premier novembre. 1497, Grande-Côte, rue no 2, Berthier. 1-514-836-4539.

Manoir de Berthier-sur-mer

Construction très ancienne.

BONAVENTURE

Musée Acadie

Histoire générale et maisons historiques datant de 1767.

CAP ROUGE

Musée Provencher

CARILLON

La Maison Desormeaux

Cette maison, construite au XIXe siècle, constitue un prototype architectural de première importance dans l'histoire.

CAUGHNAWAGA

Musée Kateri Tekakwitha

CHAMBLY

Vieux Fort Chambly

CHICOUTIMI

Musée de la Société historique du Saguenay

GUÉRIN

Musée d'antiquités locales

GRANBY

Granby Auto Museum

LACHINE

Musée de Lachine

Plusieurs objets québécois ayant appartenu aux fondateurs de Lachine. 100, boulevard Lasalle.

LAPRAIRIE

Vieux Fort de Laprairie

Église de la Nativité
Cette église a été entièrement restaurée. Il y a aussi le charnier, juste à côté de l'église, qui mérite d'être visité. Chemin Saint-Jean.

LAUZON

Vieux Fort de Lauzon

Chantiers maritimes

L'ÎLE-AUX-NOIX

Parc national historique de Fort Lennox. Meubles et bâtiments historiques.

L'ÎLE D'ORLÉANS

Considéré comme endroit historique, ce site de 40 milles permet d'avoir un aperçu de ce qu'était la vie des ancêtres. On a construit de nouvelles habitations au sortir du beau pont de l'Île, ce qui gâche un peu l'arrivée, mais il faut continuer et faire le tour de l'Île. À visiter: le manoir Mauvide Genest situé entre Saint-Laurent et Saint-Jean.

L'ISLET-SUR-MER

Musée maritime
Instruments marins, souvenirs de l'histoire maritime du Canada.

LONGUEUIL

Musée historique de l'électricité
208, chemin Chambly.

MONTMAGNY

Manoir Couillard-Dupuis

OKA

La vieille chapelle d'Oka fascine tous les visiteurs.

PÉRIBONKA

Musée Maria Chapdelaine

PIERREVILLE

Musée Odonak

POINTE-AU-PIC

Musée Laure Conan

RAWDON

Moores' Canadiana Village
Trois milles au nord-est de la ville de Rawdon, dans les Laurentides, sur le chemin du lac Morgan, se trouve ce village recréé, hommage à nos ancêtres. Chaque année, on ajoute des immeubles. Des bâtiments authentiques y ont été déménagés, venant de tous les coins de la province. Ils sont meublés et montrent la vie telle qu'elle était il y a un siècle. On peut visiter une école, une chapelle, on peut même manger un repas canadien. 1-514-834-2160.

RIMOUSKI

Musée d'histoire régionale

Ce musée est installé dans les murs de la première église en pierres de Rimouski, construite en 1823. 35 ouest, rue Saint-Germain.

ROCK ISLAND

Musée de la Société historique

SAINTE-ANNE-DE-BEAUPRÉ

Maison Montmorency

Érigée par Sir Frederick Haldimand en 1781, cette maison servit de résidence d'été au duc de Kent, père de la reine Victoria, de 1791 à 1794.

Musée Sainte-Anne-de-Beaupré

On y trouve plusieurs reliques du passé.

Sanctuaire Sainte-Anne-de-Beaupré

Plus d'un million de pèlerins le fréquentent chaque année.

SAINT-CONSTANT

Musée ferroviaire canadien

Exposition des premiers wagons de train ayant servi aux compagnies canadiennes. Gare reconstituée. 122 A, rue Saint-Pierre.

SAINT-JÉRÔME

Musée de Saint-Jérôme

SAINT-LIN

Maison Sir Wilfrid Laurier

Cette maison, construite en 1860 et où est né Sir Wilfrid Laurier, a été transformée en musée. Visites guidées.

SAINT-ROCH-DES-AULNAIES

Vieux Manoir

SAWYERVILLE

Musée de la Société historique du comté de Compton, 1830

SEPT-ÎLES

Musée de Sept-Îles

SHERBROOKE

Musée du Séminaire

Plus de 50 000 pièces sont rassemblées dans ce musée. 195, rue Marquette.

TADOUSSAC

Site historique. Chapelle du XVIIe siècle.

TROIS-RIVIÈRES

Archives du Séminaire des Trois-Rivières

858, avenue Laviolette.

La Crypte du père Frédéric
Chez les Franciscains, 890, rue Sainte-Marie.

Musée des Trois-Rivères

Musée des Ursulines
784, rue des Ursulines.

VAL DAVID

Musée de la Butte à Mathieu

VAUDREUIL

Musée historique de Vaudreuil
Collection d'étains et de meubles québécois, porte du moulin du Seigneur de Perrot, datant de 1672; rouet en fer provenant des Cantons de l'Est; coffres remarquables. 431, rue Roche. 1-514-455-2092.

REVUES À CONSULTER

Culture vivante
Revue publiée par le ministère des Affaires culturelles du Québec. Paraît quatre fois l'an et traite des différents aspects de la culture canadienne-française.

Civilisation du Québec
Collection publiée par le ministère des Affaires culturelles du Québec depuis 1971. Jusqu'à maintenant on a publié 13 volumes sur différents sujets dont le dernier est une étude sur les tabernacles anciens du Québec aux XVII, XVIII et XIXe siècles. En vente dans tous les dépôts de l'Éditeur officiel ou au comptoir postal de l'Éditeur officiel, 50 rue Saint-Jean, Québec.

Décormag
Le seul magazine québécois de décoration. Dans chaque numéro, quelques pages sont toujours réservées aux antiquités. Publié tous les mois et en vente dans tous les kiosques à journaux. Un numéro se vend $1.25 et il y a un prix spécial pour l'abonnement annuel. 181 est, rue Saint-Paul, Vieux-Montréal. 1-514-866-9894.

Glass Fax
Revue de l'Association des collectionneurs de verre, organisme commandité par la Dominion Glass Company. Cette revue est disponible pour les membres de l'Association. C.P. 190, Montréal 101.

Habitant Diggers
Revue mensuelle publiée par le Montreal Historical Bottle Association. Des membres de l'Association communiquent aux autres collectionneurs leurs plus récentes découvertes. C.P. 184, Ville Mont-Royal.

Historical Arms Series
Une quinzaine de volumes ont été publiés jusqu'à maintenant dans cette série du Museum Restauration Service, C.P. 2037, Station D, Ottawa. Quelques

titres: « The Military Arms of Canada », « The Gunsmiths of Canada », « Red Coat and Brown Bess ».

Le Chauffeur
Publiée par le Vintage Automobile Club of Montreal, « Le Chauffeur » offre une foule d'informations concernant les vieilles autos, la façon de les réparer, etc. Paraît quatre fois par année. C.P. 246, Station Notre-Dame-de-Grâce, Montréal.

M
Il s'agit d'une revue trimestrielle publiée par le Musée des Beaux-Arts de Montréal. En plus de plusieurs données historiques, on trouve dans cette revue un calendrier des principaux événements artistiques. Abonnement annuel: $3.50. 1193 Place Phillips, Montréal H3B 3E1. Tél. 1-514-866-1505.

The Canadian Antiques Collector
La revue officielle des antiquaires. Très difficile à trouver dans les kiosques; on peut cependant s'abonner pour $8 par année. Nombreuses informations sur les antiquités en général. C.P. 608, Station B, Willowdale, Ontario. Tél. 223-2610.

The Canadian Journal of Arms Collecting
La seule publication canadienne sur les armes. Cette revue est non seulement connue au Canada mais aussi aux États-Unis et en Europe. Chaque numéro offre différents articles sur les armes à feu, les armes blanches, les munitions, etc. Publiée par le Museum Restoration Service, C.P. 2037, Station D, Ottawa, Ontario, K1P 5W3, $1.25 le numéro.

The Westward Collector Quarterly
Un abonnement coûte $3 et donne droit à une annonce gratuite de 40 mots. Informations sur différentes pièces de collection. 721 Dagwood Road, Nanaimo, Colombie-Britannique.

Vie des Arts
Revue trimestrielle d'information artistique. $2.50 le numéro ou $9 par année. 360 rue McGill, Montréal. 1-514-861-5488.

OÙ TROUVER LES ANTIQUAIRES AU QUÉBEC

Cette liste d'adresses a été compilée avec le plus grand soin.

Si des noms ont été oubliés — et malheureusement cela a dû se produire — ce n'est pas par mauvaise foi ni malveillance.

Établir une telle liste relève de la haute voltige.

Mes excuses donc à ceux qui auraient été oubliés.

MONTRÉAL ET LES ENVIRONS

Ancêtre
2499 ouest, rue Notre-Dame
Montréal
(514-932-6288)

André Antiques et Annexe
1876 et 1896 ouest, rue Notre-Dame
Montréal
(514-932-0680)
Spécialité: meubles européens. Prix: raisonnables. Particularité: grand choix de meubles Louis XV et Louis XVI. Achat, échange, réparation, commandes spéciales.

Annabel
2073, rue Saint-Laurent
et
3667, rue Saint-Laurent
Montréal
(514-288-1992)
Spécialité: achat et vente d'antiquités. Encanteurs.

Antique Antiques
5464 nord, rue Westminster
Montréal
(514-489-6449)

Antique Unique
5211, boul. Décarie
Montréal
(514-489-8868)

Antique Ville
408, rue Saint-François-Xavier
Montréal
(514-844-0880)

Antiques Hubert
3667, rue Saint-Laurent
Montréal
(514-288-3804)

Antiquités Au Vieux Panache, Enr.
225 ouest, rue Crémazie
Montréal
(514-389-8946)

Antiquités Chez Grand-Mère
1226 A, rue Saint-Mathieu
Montréal
(514-932-9586)

Antiquités Crescent, Inc.
2137, rue Crescent
Montréal
(514-849-3061)
Membre de l'Association canadienne des antiquaires.

Antiquités Gerbe de Blé
550, rue Georges-V
Montréal-Est
(514-353-3790)

Antiquités Jarry
8136, rue Saint-Dominique
Montréal
(514-382-5295)

Antiquités Gérard Labelle, Inc.
6977, rue Saint-Denis
Montréal
(514-279-3444)
Spécialité: achat, vente.

Antiquités Montréal
423 est, rue Saint-Paul
Montréal
(514-288-4767)

Antiquiton
2460 ouest, rue Notre-Dame
Montréal
(514-932-3256)

Henrietta Antony, Inc.
1383, avenue Greene
Westmount
(514-935-9116)
Spécialité: lampes et chandeliers. Prix: $15 à $2500. Achat, échange, réparation.

Architecture Ancienne
410, rue Saint-Pierre
Montréal
(514-849-3344)

Association des Artisans de la ceinture fléchée
1627 ouest, rue Sherbrooke
Montréal
(514-932-5585)
Spécialité: inventaire des anciennes ceintures fléchées. Particularité: réparation de vieilles ceintures.

Au Billot Fleuri
12 est, boulevard Saint-Joseph
Montréal
(514-844-4126)
Spécialité: petits meubles. Prix: $35 à $8000. Achat, réparation, commandes spéciales.

Émilien Auclair
Route 24
Sainte-Rose, Laval
Spécialité: meubles québécois.

Au Coq Rouge Antiques
5710 boul. des Laurentides, route 11
Auteuil, Laval
(514-622-8015)
Spécialité: antiquités canadiana. Prix: $1 à plusieurs milliers de dollars. Particularité: choix très varié d'appareils d'éclairage électrique anciens, lampes Tiffany, plafonniers de laiton et de bronze. Achat, échange.

Au Fil du Temps
2160, rue Crescent
Montréal
(514-284-0856)

Au Temps Jadis
4160 ouest, rue Sainte-Catherine
Montréal
(514-932-2882)
Spécialité: meubles canadiens et porcelaines. Prix: $25 à $1200. Particularité: plusieurs lampes à l'huile typiquement québécoises. Achat, échange, réparation.

Au Vieux Trésor
6313, rue Saint-Hubert
Montréal
(514-271-4340)

Balzac Antiques and Furniture Exchange
338 est, rue Notre-Dame
Montréal
(514-866-0208)

H. Baron, Inc.
1001, rue Lenoir
Montréal
(514-932-3183)
Spécialité: objets d'art. Achat, réparation. Membre de l'Association canadienne des antiquaires.

Baserman Antiques
997, rue Saint-Laurent
Montréal
(514-866-9958)

Blue Pillow Antiques
620, rue Cathcart, suite 424
Montréal
(514-871-0225)
Spécialité: bijouterie antique. Prix: très variés.

Bonsecours Antiques
441, rue Saint-Claude
Montréal
(514-861-4375)
Spécialité: meubles québécois. Prix: $1 à $5000. Particularité: quelques armoires et buffets authentiquement québécois datant du XVIIIe siècle. Achat.

Boutique Marité Antiques & Collectables
344 A, rue Victoria
Westmount
(514-486-8707)

Breitman Antiques, Ltée
1353, avenue Greene
Montréal
(514-937-0275)
Spécialité: meubles canadiens, sculptures sur bois, poteries et verres. Prix: $5 à $10 000. Particularité: de nombreuses sculptures d'église et des commodes bombées. Achat, commandes spéciales. Membre de l'Association canadienne des antiquaires.

Carrier Antiques, Enr.
2502 ouest, rue Notre-Dame
Montréal
(514-932-4836)

Cartier Antiques
2515 ouest, rue Notre-Dame
Montréal
(514-935-7983)
Spécialité: achat d'antiquités et liquidation de successions.

Chez Paul Antiques
1736 ouest, rue Notre-Dame
Montréal
(514-932-1900)

Choses d'Autrefois
262 est, rue Mont-Royal
Montréal
(514-849-4911)

Circa 1880, Inc.
2127, rue Saint-Urbain
Montréal
(514-288-2660)
Spécialité: lampes et objets de décoration. Prix: $1 à $5000. Particularité: décoration intérieure et design. Achat, échange, réparation, commandes spéciales.

Clinique de Poupées Claire
610, 9e Avenue
Laval-des-Rapides
(514-667-6276)

Spécialité: Poupées. Prix: $20 à $800. Particularité: lit de poupée en bois fait au Québec en 1850. Pièce très rare. Achat, échange, réparation de poupées, commandes spéciales.

Coach House Antiques
5107, chemin de la Reine-Marie
et 1325, avenue Greene
Montréal
(514-738-3342 et 937-6191)

Connaisseur Antiques Ltd.
1312, avenue Greene
Montréal
(514-931-6830)

Paul-André Crête, Antiquaire
132, boulevard Sainte-Rose
Laval
(514-622-9187)

Spécialité: armoires des XVIIIe et XIXe siècles. Prix: $300 à $1500 (armoires). Particularité: plusieurs armoires restaurées et décapées sont maintenant présentées dans leur peinture originale. Achat.

Doyle Bros Antiques
4919 ouest, rue Sherbrooke
Montréal
(514-488-3662)

Drags
440, Place Jacques-Cartier
Montréal
(514-866-0631)

Spécialité: vêtements et objets.

Elizabeth's Antiques
303, Lakeshore Road
Pointe-Claire
(514-697-0630)

Spécialité: meubles canadiens, verres et objets d'art. Prix: $8 à $1200. Achat, commandes spéciales.

Ronald Fauteux Antiques
187, Place Youville
Montréal
(514-845-2363)

Spécialité: meubles de pin, poteries et ceintures fléchées. Particularité: plusieurs pièces de collection. Certaines pièces ont au moins 150 ans d'existence. Achat, échange, commandes spéciales.

Ferroni, Inc.
2145, rue Crescent
Montréal
(514-849-1346)

Spécialité: meubles anglais (1700-1800); verre chinois et irlandais. Prix: 25 cents à $2500. Particularité: importation seulement. Commandes spéciales.

Foyer des Antiquaires
310, rue Gounod
Montréal
(514-271-9916)

Frantique, Inc.
2350, chemin Lucerne
Montréal
(514-739-8545)

Fraser Bros., Ltd.
4950, rue de la Savane
Montréal
(514-342-0050)
Spécialité: vente aux enchères d'antiquités de toutes sortes provenant de successions et autres sources; évaluation pour assurance, droits successoraux et douanes. Prix: $25 à $5000. Particularité: les intéressés peuvent recevoir par le courrier tous les feuillets d'annonce de ventes aux enchères.

Frocks Trot
1433, rue Bishop
Montréal
(514-843-4174)

Galerie Gurie, Ltée
1498 ouest, rue Sherbrooke
Montréal
(514-935-5239)
Particularité: Membre de l'Association canadienne des antiquaires.

Gladstone Unusual Antiques
4662, boulevard Décarie
Montréal
(514-484-8332)

Gordon, Anthony B.
361, rue Victoria
Westmount
(514-489-8729)

Granny's Discards Antiques & Collectables
Beaconsfield
(514-695-7437)
Spécialité: lampes à l'huile et verre pressé.

Griffen, Richard
1431, rue Mackay
Montréal
(514-843-4193)

Harrop J. & Co.
1235, rue Greene
Montréal
(514-937-4530)

Harvard Antiques
5686, rue Monkland
Montréal
(514-486-0205)
Spécialité: achat et vente d'objets et meubles divers.

Hide-Away Antiques
69 nord, avenue Westminster
Montréal-Ouest
(514-481-9059)
Spécialité: petits meubles, porcelaine. Prix: $5 à $100. Particularité: collection de cuivres de Paul Beau. Achat, commandes spéciales.

Hoffman's
1472, rue Peel
Montréal
(514-844-2579)
Spécialité: bijouterie ancienne. Achat, échange, réparation, commandes spéciales.

Jacoby's House of Antiques
480, rue Saint-François-Xavier
Montréal
(514-842-1803)

Blaise Juillet Antiquités
2719 ouest, rue Notre-Dame
Montréal
(514-933-6362)
Spécialité: vaste choix de meubles québécois.

Henza Kœnig Antiques
4880, chemin de la Reine-Marie
Montréal
(514-739-8775)

La Carriole
1236 et 1240 ouest, rue Notre-Dame
Montréal
(514-933-6262)
Spécialité: meubles canadiens. Particularité: entrepôt situé au 1011 route 2, Saint-Barthélémy, Comté de Berthier (514-885-3430). Achat, échange, réparation.

Lacasse, Jean, Antiquaire
1031 ouest, rue Laurier
Montréal
(514-274-3036)
Spécialité: très beaux objets québécois et primitifs. Membre de l'Association canadienne des antiquaires.

La Ferme Antiques
208 est, boulevard Sainte-Rose
Auteuil, Laval
(514-622-3953)

La Galerie des Ancêtres
4743, rue Saint-Denis
Montréal
(514-843-6106)
Spécialité: meubles canadiens en pin. Prix: $0.50 à $1500. Achat, réparation, commandes spéciales.

La Gloire d'Aujourd'hui, Enr.
751 est, rue Rachel
Montréal
(514-522-8045)

Laro, Marc, Antiquités
1529 ouest, rue Notre-Dame
Montréal
(514-932-5950)
Spécialité: meubles de style et miniatures. Particularité: liquidation de successions sur place et consultant en décoration.

L'Atelier 515
515, rue Bonsecours
Montréal
(514-845-0486)
Spécialité: articles religieux et meubles en pin. Prix: $1 à $800. Particularité: plusieurs objets insolites et des meubles typiquement québécois. Achat, échange, commandes spéciales. Encan toutes les deux semaines.

Lebœuf, Jean-Guy, Enr.
1816, rue Amherst
Montréal
(514-522-9973)

Le Canard Sauvage
255, boulevard Sainte-Rose
Laval
(514-625-4393)
Spécialité: meubles et articles québécois. Particularité: consultant en décoration intérieure.

Le Chasse-Greniers
423 est, rue Saint-Paul
et
472 est, rue Saint-Antoine
Montréal
(514-845-4779)
Spécialité: antiquités du Québec. Prix: $0.25 à $1000. Particularité: collection privée très intéressante en plus des antiquités en vente dans la boutique. Achat, commandes spéciales.

Le Demain Doré
1486 ouest, rue Sherbrooke
Montréal
(514-933-1324)
Spécialité: importations d'Asie et d'Afrique. Particularité: aucune distinction entre l'ancien et le moderne. Importation seulement.

Le Grand Trianon
1112 ouest, rue Laurier
Montréal
(514-274-2360)
Spécialité: objets rares.

Le Kaléidoscope
3842, rue Saint-Denis
Montréal
(514-849-0929)
Spécialité: bijoux anciens. Achat, échange.

L'Entre-Têtes
4278, rue Saint-Denis
Montréal
(514-844-4263)

L'Entre-Trois
Les Terrasses
Rue Sainte-Catherine
Montréal
(514-288-0339)

Le Rapailleux, Antiquaire
789, boul. Rosemont
Montréal
(514-277-6229)

Les Antiquités Québécoises, Inc.
33, Bord du Lac
Valois, Pointe-Claire
(514-697-0943)
Spécialité: meubles antiques. Prix: $2 à $2000. Achat, réparation.

L'Essai, Enr.
420, rue de l'Aqueduc
Montréal
(514-935-4942)

Lévis Antiquités
2672 ouest, rue Notre-Dame
Montréal
(514-931-5309)

Ma Maison
15,537 ouest, boul. Gouin
Sainte-Geneviève
(514-626-7062)
Spécialité: petits meubles typiquement québécois et objets d'artisanat.

Marché aux Puces de Lachine
6530, rue Papineau
Montréal
(514-722-2465)

Marché aux Puces de l'Artisanat, Enr.
8005, rue Saint-Hubert
Montréal
(514-722-2465)

Marché aux Puces (Garcia) Larrivée
1859 est, boul. de Maisonneuve
Montréal
(514-522-4236)

Marché aux Puces Notre-Dame
1960 ouest, rue Notre-Dame
Montréal
(514-937-7695)

Marché aux Puces Saint-Ambroise
1144 est, rue Saint-Zotique
Montréal
(514-273-7474)

Marché aux Puces Sainte-Dorothée
563, Bord de l'eau
Sainte-Dorothée, Laval
(514-689-1476)

Marché aux Puces Saint-Laurent
3910 B, rue Saint-Laurent
Montréal
(514-843-5477)

Marché aux Puces Saint-Michel
8000, boul. Saint-Michel
Montréal
(514-721-0431)

Martin Antiques
1874 ouest, rue Notre-Dame
Montréal
(514-932-6213)

McIntosh Antiques
1456 ouest, rue Notre-Dame
Montréal
(514-931-9674)

Mendelson M., Antiquaire
167 ouest, rue Saint-Antoine
Montréal
(514-866-9543)

Mercury Antiques
1638 ouest, rue Notre-Dame
Montréal
(514-935-4243)

Morris Antiques
6931, chemin de la Côte-des-Neiges
Montréal
(514-731-7575)
Spécialité: plafonniers, mobiles, têtes de lit. Particularité: antiquités européennes seulement. Achat.

Mullins Pauline Antiques
4839 ouest, rue Sherbrooke
Montréal
(514-932-3494)

Napoléon Antiques, Enr.
1535 ouest, rue Notre-Dame
Montréal
(514-932-6844)
Spécialité: argenterie, verre canadien, bibelots, bijoux et vieilles monnaies. Prix: $10 à $1000. Particularité: très grand choix de poteries canadiennes et quantité d'objets insolites. La boutique est à la recherche d'objets relatifs à Napoléon 1er. Achat, échange, commandes spéciales.

Nearly New Shop
1209 ouest, boulevard
de Maisonneuve
Montréal
(514-849-7245)

Obsession
1886 ouest, rue Notre-Dame
Montréal
(514-933-6375)

Ogilvie's Antiques Regd.
444, rue Saint-François-Xavier
Montréal
(514-849-3939)

Jas A. Ogilvy's, Ltée
Galerie d'antiquités
Angle Sainte-Catherine et
de la Montagne
Montréal
(514-842-7711)
Membre de l'Association canadienne des antiquaires.

One of a Kind Antiques
6190, boulevard Décarie
Montréal
(514-737-5256)

Park Avenue Antiques & Curios Regd.
5151, avenue du Parc
Montréal
(514-270-6252)

Pearce H., Ltée
1170, rue Peel
Montréal
(514-866-9251)
Spécialité: achat et vente de bijoux, d'argenterie et de monnaie.

Pednault Antiques
1493, rue Amherst
Montréal
(514-521-5521)

Petit Musée, Ltée
1494 ouest, rue Sherbrooke
Montréal
(514-937-6161)
Spécialité: antiquités en général sauf le canadiana. Prix: $100 à $12 000. Achat, échange, commandes spéciales.

Puces-Libres Antiques
4274, rue Saint-Denis
Montréal
(514-842-5931)
Spécialité: armoires en pin et pièces du début du siècle. Aussi, pièces religieuses. Prix: $0.50 à $750. Particularité: choix de meubles typiquement québécois du début du XVIIIe siècle et du XIXe siècle. Achat, échange, réparation, finition, commandes spéciales.

Quebec Antiques, Inc.
33, Lakeshore Road
Valois, Pointe-Claire
(514-697-0643)
Spécialité: meubles en pin et articles de verre.

Quentin Arthur, Enr.
3960, rue Saint-Denis
Montréal
(514-843-7513)

Racette L'Amie du Collectionneur Antiques
1752 ouest, rue Notre-Dame
Montréal
(514-933-3304)

Richer, Antiquaire (Pierre)
1116 ouest, rue Bernard
Montréal
(514-279-1432)

Rien de Neuf
1894 ouest, rue Notre-Dame
Montréal
(514-932-8838)

Roger Antiques
4021, rue Adam
Montréal
(514-521-0642)

Heller Roselee Antiques
5190, chemin de la Reine-Marie, Suite 2
Montréal
(514-484-4345)

Rubinstein Mildred & Sons
4815, avenue Bessborough
Montréal
(514-489-4347)

Russell, John L. Antiques
1504 ouest, rue Sherbrooke
Montréal
(514-935-2129)
Spécialité: argenterie.

Sacha's Antiques Regd.
1019, rue Van Horne
Montréal
(514-271-1320)

Sirois Antiques
3793, rue Wellington
Montréal
(514-761-3665)

Slabotksky Caroline
2155, rue de la Montagne
Montréal
(514-844-8783)

Marjorie Stewart Antiques, Inc.
4236, boul. Décarie
Montréal
(514-487-0781)

Studio La Duchesse
5522, Chemin Côte Saint-Luc
Montréal
(514-484-0271)

Tango
2065, rue Saint-Laurent
Montréal
(514-843-7619)

Taschereau, Michel, Antiquités
1324 ouest, rue Sherbrooke
Montréal
(514-288-4630)
Spécialité: meubles, verres, gravures, étains. Achat, commandes spéciales. Membre de l'Association canadienne des antiquaires.

The Antiquary
5122 ouest, rue Sherbrooke
Montréal
(514-484-3330)

The Antique Gallery
5674, rue Monkland
Montréal
(514-486-2913)

Thea Wesselow Antiques
1361, avenue Greene
Westmount
(514-932-3573)
Spécialité: antiquités canadiennes et gravures. Prix: $3 à $800. Particularité: quelques meubles québécois exclusifs. Achat, réparation, commandes spéciales.

The Collectors' Corner
5126 ouest, rue Sherbrooke
Montréal
(514-481-2012)
Spécialité: armes antiques et objets militaires. Prix: très variés. Particularité: prix raisonnables et ambiance agréable. Membre de l'Association des collectionneurs d'armes du Bas-Canada. Achat, échange, réparation, finition, commandes spéciales.

The Furniture Stripper
2049, rue Harvard
Montréal
(514-487-6140)
Spécialité: décapage et finition. Particularité: cet atelier de réparation vend quelquefois des antiquités. Les clients peuvent obtenir de judicieux conseils sur la façon d'orienter leurs recherches lorsqu'ils cherchent un meuble en particulier.

The Nostalgia Factory
Viaduc, Place Bonaventure
Montréal
(514-845-8002)
Spécialité: matériel de publicité (posters originaux, enseignes de magasins, etc.) Prix: $0.10 à $750. Particularité: la plus importante collection de matériel de publicité original en Amérique du Nord. Achat, échange, commandes spéciales.

Three Spruce Antiques
482, boulevard Beaconsfield
Pointe-Claire
(514-697-0760)

Toile d'Araignée
1418 ouest, rue Notre-Dame
Montréal
(514-935-3933)

Nettie Wall Antiques
19, Valois Bay
Valois, Pointe-Claire
(514-697-2587)

Ye Olde Antique Shoppe
5171 ouest, rue Sherbrooke
Montréal
(514-484-5882)

SUD-OUEST

Antiques
(Madame Paul)
53, rue Bouchet
Huntingdon

Antiques Sylvia Brehne
222, Main Road
Como
Comté Vaudreuil
(514-458-7282)

Antiquités
87, rue du Marché
Valleyfield
(514-373-5830)

Antiquités Les Sources Antiques
Rue Metcalfe
Saint-Lazare
Comté Vaudreuil
(514-458-4415)
Spécialité: Canadiana.

Antiquités Québécoises
Route rurale 8
Angers
Comté Papineau
(819-936-3953)
Spécialité: meubles et objets typiques du Québec.

Allen Benson Antiquités
165, rue Saint-Jean-Baptiste
Oka
Spécialité: réparation et rempaillage de chaises.

Black Kettle Antiques
Havelock
Comté Huntingdon
(514-826-4632)
Spécialité: meubles et objets québécois.

Brown's Country Shoppe
Avoca Road
Pointe-au-Chêne
Comté Argenteuil
(819-242-6062)
Spécialité: meubles en pin, verre carnaval, porcelaine, objets de cuivre et d'étain.

Sheila Campbell's Antiques
Moore Road
Hemmingford
Comté Huntingdon
(514-247-2902)
Spécialité: meubles de pin et verre.
Particularité: plusieurs articles de collection.

Kathy Cook Antiques
Route rurale 219
Hemmingford
Comté Huntingdon
(514-247-2837)
Spécialité: meubles québécois.

Couchavec
213, Main Road
Como
Comté Vaudreuil
(514-458-7282)
Spécialité: accessoires de chambre à coucher, édredons, courtepointes.

Country House Antiques
14, rue Sainte-Marie
Lacolle
Comté Saint-Jean
(514-246-2148)

Country Lane Antiques
Saint-Louis-de-Gonzague
Comté Beauharnois
(514-373-5050)

Country Pine Shop
428, rue Roche
Vaudreuil
(514-455-4262)
Spécialité: artisanat, courtepointes, meubles et articles divers en pin. Réparation et finition.

Craimer & Lowe Antiques
6, rue Ouimet
Saint-Jean
(514-347-6922)
Particularité: sur rendez-vous seulement. Spécialité: meubles en pin, canadiens et primitifs.

Cronk's Antiques Boutique
635, rue Haute-Rivière
Châteauguay Centre
(514-692-6453)

Daisy Antiques
7, rue Grand
Ile Perrot
(514-453-3564)
Spécialité: meubles anciens, poterie, vaisselle, argenterie. Prix abordables.

Fern's Antiques
108, Main Street East
Brownsburg
Comté Argenteuil
(514-533-4429)
Spécialité: objets de verre et pièces artisanales.

Ferris Wheel Antiques
Route rurale 4
Huntingdon
(514-264-5175)

Hudson Antiques
2999, rue Harwood
Hudson Heights
Comté Vaudreuil
(sortie 17 de la Route transcanadienne)
(514-455-5353)
Spécialité: antiquités canadiennes, anglaises et européennes, mobilier, porcelaine, argenterie, cuivre, laiton, estampes. Particularité: les objets en vente sont accompagnés de leur date de fabrication et sont garantis. Membre fondateur de l'Association des Antiquaires du Canada.

Kennedy June Antiques & Interiors
538, Main Road
Hudson Heights
(514-458-5766)
Spécialité: meubles en pin, vaisselle et accessoires de verre.

La Belle Époque
Route 40, sortie 8
Rigaud
(514-451-4101)
Spécialité: meubles, canadiana, argenterie, objets de collection.

La Belle Époque
4, rue Jacques Cartier
Valleyfield
(514-373-2787)

La Vieille Boutique
450, rue Frontier
Hemmingford
Comté Huntingdon
(514-247-2952)
Spécialité: meubles en pin québécois et primitifs. Sur rendez-vous.

Lefebvre Antiques
1011, rue Saint-Louis
Beauharnois
(514-429-4489)

Le Manoir Antiques
19, rue Saint-Laurent
Saint-Timothée
Comté Beauharnois
(514-373-4463)
Spécialité: meubles canadiens et objets de collection. Particularité: des meubles de couleur originale dont un berceau bleu. Achat, échange, réparation, commandes spéciales.

Henri Leroux Antiques
204, rue Larocque
Valleyfield

Lewis V. & G. Entreprises, Ltée
532, Main Road
Hudson Heights
(514-458-5333)
Spécialité: vaisselle, poterie, argenterie, divers.

Maison Héritage
5, rue Saint-Anselme
Rigaud
(514-455-5910)
Spécialité: meubles et objets typiques du Québec, courtepointes.

Marché O Puces
Route rurale no 4
Sainte-Martine
Comté Châteauguay
(514-427-2202)
Spécialité: un peu de tout et plusieurs articles typiquement québécois. Achat, commandes spéciales.

Mary Lou's Antiques
429, 21e Avenue
Venise-en-Québec
Comté Missisquoi
(514-244-5315)
Spécialité: vaisselle. Prix: $5 à $150. Achat, commandes spéciales.

McAlpine Antiques
338, rue Champlain
Saint-Jean
(514-348-5076)
Spécialité: lampes et verre québécois.

McIntosh Antiques
Fairview Road
Dewittville
Comté Huntingdon
(514-264-4872)

Red Bell Antiques
Route 52
Hemmingford
(514-247-2557)

Saint-Lazare Antiques
781, Chemin Duhamel
Saint-Lazare
Comté Vaudreuil
(514-455-1395)

Schaffer's Shop
79, rue Grand
Ile Perrot
(514-453-3564)

Audrey Seale's Antiques
450, rue Frontier
Hemmingford
(514-247-2952)
Spécialité: argenterie, lampes, horloges et porcelaine.

Marjorie Stewart Antiques, Inc.
12, rue Church
Ormstown
Comté Châteauguay
(514-829-2533)

The Cedar House Antiques
Route rurale 4
Kensington
Comté Huntingdon
(514-264-3226)

The Old Boot Shop Antiques
66, rue Saint-Bernard
Lacolle
Comté Saint-Jean
(514-246-2133)
Spécialité: verre et petits meubles. Prix: $3 à $750. Achat, commandes spéciales.

The Veranda Antiques
Coteau
Comté Soulanges
(514-267-9180)

Village School House Antiques
Route rurale 4
Dewittville
Comté Huntingdon
(514-264-4467)

Wakefield Antiques
Mill Road
Wakefield
Comté de Gatineau
(819-459-3200)

Wheat & Chaff
Rue Lamton
Ormstown
Comté Châteauguay
(514-829-3017)
Spécialité: antiquités québécoises.

QUÉBEC ET LES ENVIRONS

À la Belle Époque, Enr.
209, rue Saint-Paul
Québec
(418-692-1768)

À la Recherche du Temps Perdu
J. Georges Rancourt
109, rue Saint-Paul
Québec
(418-692-1472)
Spécialité: montres, horloges et bijoux antiques. Particularité: 45 années d'expérience comme horloger. Achat, réparation.

À la Remise, Enr.
1122 est, rue Saint-Vallier
Québec
(418-694-1594)
Spécialité: achat et vente, meubles divers et bibelots.

Allard, Raymond
1116 est, rue Saint-Vallier
Québec
(418-524-8855)

Antiquités À la Vieille Maison, Enr.
145, rue Saint-Paul
Québec
(418-694-0950)
Spécialité: bibelots, poterie et meubles québécois en pin. Particularité: achats de successions. Achat.

Antiquités Canadiana
415 sud, rue Dorchester
Québec
(418-523-1002)
Spécialité: livres canadiens, timbres, monnaies, articles militaires (1ère et 2e guerre). Particularité: la collection d'articles militaires est des plus complètes; elle va des médailles aux bagues en passant par les coiffures. Achat, échange, commandes spéciales.

Antiquités La Maison Canadienne
202, rue Turgeon
Lauzon
Comté de Lévis
(418-833-2726)
Spécialité: meubles et poterie. Prix: $2 à $700. Particularité: objets typiquement québécois provenant de la région. Achat, réparation, commandes spéciales.

Antiquités Mi-Guy, Inc.
Route rurale no 2
Saint-Valère, comté Arthabaska
(sortie 34 de la Transcanadienne, près de Victoriaville)
(819-353-2482)
Spécialité: les antiquités des XVIIe, XVIIIe et XIXe siècles. Prix: entre $2 et $2000. Particularité: une très grande variété de pièces antiques réparties sur trois étages. Achat, échange, réparation, finition, commandes spéciales.

Antiquités Mucha
145, rue Saint-Paul
Québec
(418-694-0896)

Antiquités Trottier Bernières
500, rue de l'Aréna
Bernières
Comté Lévis
(418-831-2116)
Résidence: 3, rue Guénette
Lévis
(418-837-3092)
Spécialité: antiquités en général. Prix: 25 cents à $3000. Achat, échange, réparations mineures.

Aux 1000 Trouvailles
112, rue Saint-Paul
Québec
(418-692-0581)
Spécialité: antiquités canadiennes et importations d'Europe. Particularité: comme le nom du magasin l'indique, c'est un endroit intéressant pour découvrir toutes sortes d'antiquités.

Aux Multiples
69, rue Sainte-Anne
Québec
(418-694-9122)

René Bégin
170, rue Notre-Dame
Champlain
Comté Champlain
(514-295-3750)
Spécialité: meubles et objets québécois.

Belleville, J. Arsène
31, Sault-au-Matelot
Québec
(418-692-0676)

J.-Paul Bérubé
143½, rue Saint-Paul
Québec
(418-694-1064)

Alfred Boissonneault
11, Grande Ligne
Victoriaville
(819-752-6626)

Boivin, Roland
123, rue Saint-Paul
Québec
(418-692-2114)

Bousquet, A. G.
1178, rue Cartier
Québec
(418-647-1522)
Spécialité: argenterie, bibelots, horloges.

Arthur G. Bousquet
53, 5e Concession
Saint-Gabriel-de-Valcartier
(418-844-2595)
Spécialité: argenterie pure (XVIIIe siècle) et fine porcelaine anglaise. Prix: $1 à $1500. Particularité: pièces de choix seulement. Ouvert du mercredi au dimanche inclusivement, le soir, sur rendez-vous seulement. Membre de l'Antique Appraisal Association of America. Achat, réparation.

Boutique Aux Mémoires Antiquités, Inc.
77½, rue Saint-Paul
Québec
(418-692-0851)

Caillette et ses Souvenirs
Maskinongé
(418-227-2315)
Spécialité: meubles et objets du Québec.

Chartrain, Laval
783, rue Le Payeur
Sainte-Foy
(418-653-3108)

Clément Cliche
Route 2
501, rue Notre-Dame
Lavaltrie
Comté de Berthier
Spécialité: meubles, vaisselle et lampes du Québec.

Comptoir Emmaüs
160, rue Saint-Paul
Québec
(418-692-0385)

Maurice Demers
147, rue Principale
Leclercville
Comté Lotbinière
(418-272-2072)
Spécialité: meubles, outils et lampes du Québec.

Jean-Marie T. Du Sault
216, Chemin du Roy
Deschambault
Comté Portneuf
Spécialité: antiquités en général. Prix: 50 cents à $3000. Particularité: grande variété; plus de 1000 meubles et de 5000 petits objets. Achat, échange, réparation et restauration.

Gagnon, Pierre
274, rue Cloutier
Loret
(418-842-3210)

Galerie 141
141, rue Saint-Paul
Québec
(418-694-9716)
Spécialité: meubles québécois, objets domestiques de nos ancêtres. Particularité: pièces originales signées Schneider et Gallé.

Galerie Sire Le Roy
89, rue Saint-Paul
Québec
(418-694-0838)
Spécialité: meubles rustiques, céramiques anciennes, objets québécois d'usage courant aux XVIIIe et XIXe siècles.

J. H. Gendron Antiques
20, rue Boucher
Route rurale 2
Victoriaville
Comté Arthabaska
(819-752-7449)
Spécialité: meubles de pin. Achat, commandes spéciales.

Giroux et Frères
Sault-au-Matelot
Québec
(418-694-1551)

La Boutantique
113, rue Saint-Paul
Québec
(418-694-0603)

Labrecque, Édouard
117, rue Saint-Paul
Québec
(418-694-9092)
Spécialité: meubles anciens typiquement québécois.

La Brocante PB, Enr.
65, rue Saint-Jean
Québec
Spécialité: meubles de style et meubles canadiens. Particularité: grand choix de buffets et d'horloges. Achat, échange, commandes spéciales.

Jacques Lachance
89, rue Saint-Paul
Québec
(418-694-0838)
Spécialité: meubles rustiques et céramiques anciennes. Particularité: on y trouve un très grand nombre d'objets québécois d'usage courant aux XVIIIe et XIXe siècles.

Gérard Lamontagne
274, rue Racine
Princeville
(819-364-2012)

Le Lambrequin
59, rue Sous-le-Fort
Québec
(418-692-1471)
Spécialité: argenterie, bronze, toiles et petits objets. Particularité: plusieurs pièces authentiques et très rares. Achat, réparation, commandes spéciales.

Le Petit Bazar au Temps Passé, Enr.
541, rue Saint-Jean
Québec
(418-525-8344)
Spécialité: bijoux anciens et bibelots.

Les Découvertes Antiques J.C.D., Inc.
955, rue Scott
Québec
(418-524-9151)

L'Héritage Antiquités
109, rue Saint-Paul
Québec
(418-692-1681)
Spécialité: meubles en pin, lampes et lustres d'époque.

Marché aux Puces
70 ouest, rue Saint-Vallier
Québec
(418-523-0285)

Open Door to the Past Antiques
Pointe-au-Pic
La Malbaie

Léon-Joseph Potvin
Rang de l'Équerre
Baie-Saint-Paul
(418-435-3025)
Spécialité: meubles et objets québécois.

Raynald Saint-Pierre
Saint-Jean-Port-Joli
Comté l'Islet
(418-598-6194)
Spécialité: objets typiques de notre patrimoine, rares et âgés. Particularité: collection de poterie, verre et porcelaine. Sur rendez-vous seulement. Achat, commandes spéciales.

Johachim Simard
La Rémy
Baie-Saint-Paul
(418-435-5042)
Spécialité: meubles et objets québécois.

Trépanier, J.-André
117, rue Saint-Jean-Baptiste Sud
Princeville
(819-364-5230)
Spécialité: articles de tous genres, gros et détail, lits de cuivre. Sur rendez-vous.

Wells-Gagnon, René
205, rue Riverin
Chicoutimi
(418-549-1424)
Spécialité: meubles et objets québécois.

LAURENTIDES ET RIVE NORD

Antiques P'tit Marché New Glasgow
1711, Cochran Road
New Glasgow
Comté Terrebonne
(514-438-2756)
Spécialité: artisanat et objets décoratifs.

Antiquités Toi et Moi, Inc.
965, rue Notre-Dame
Route 138
Lavaltrie
(514-586-1495)

Atelier de Meubles
41, rue Filion
Saint-Sauveur-des-Monts
Comté Terrebonne
(514-227-2652)
Spécialité: antiquités générales. Prix: $10 à $2000. Particularité: l'Atelier de Meubles fait la reproduction de meubles et particulièrement de meubles en pin. Achat, échange, réparation, commandes spéciales.

Au Bon Vieux Temps
235, Grande Côte Ouest
Lanoraie
(514-887-2748)
Spécialité: achat, vente, échange. Meubles québécois et objets divers.

Autrefois Antiques
210, rue Principale
Saint-Sauveur-des-Monts
(514-227-2693)

Aux Ruines
Saint-Jacques
Comté de Montcalm
(514-839-6292)
Spécialité: meubles canadiens et européens. Prix: $15 à $4000. Achat, commandes spéciales.

Basilières Antiques
621, boul. Curé-Labelle
Blainville
Comté Terrebonne
(514-435-7875)
Spécialité: vieilles choses du Québec et meubles canadiens.

Fernand Farley
440, Restaurant Frontenac
Berthierville
Spécialité: brocante et meubles de tout genre.

La Baladeuse, Inc.
204, rue Principale
Saint-Sauveur-des-Monts
(514-227-3864)
Spécialité: Canadiana. Achat.

Labelle Antiquités
1450, boulevard Labelle
Blainville, Comté Terrebonne
(514-435-5656)
Spécialité: meubles et objets québécois.

La Belle Époque Antique
Rue Shawbridge, angle Renaud
Shawbridge
Comté Terrebonne
(514-224-5346)
Spécialité: meubles canadiens. Prix: $3 à $1000. Particularité: conseillers en décoration. Achat, finition, commandes spéciales.

La Butte à Mathieu
Val-David
(819-322-2248)
Spécialité: objets typiquement québécois.

La Capucine
208, rue Principale
Saint-Sauveur-des-Monts
(514-227-3266)

La Carriole
1011, Route nationale 2
Saint-Barthélémy
Comté de Berthier
(514-885-3430)
Spécialité: meubles canadiens. Prix: très variés. Achat, échange, réparation.

La Maison du Québec
2, boulevard Labelle
Sainte-Thérèse
(514-435-4350)
Spécialité: meubles de style et canadiens, lits de cuivre. Prix: $5 à $3500. Achat, échange.

La Remise
Centre d'Art Joliette
274, rue Visitation
Joliette
(514-756-1878)
Spécialité: meubles québécois, réparation et encadrement.

Réjean Lebeau Antiques
48, rue Principale
Route 11
Saint-Janvier
(514-435-6840)
Spécialité: lits de bronze, lampes à l'huile, fenêtres rondes et objets typiquement québécois.

Le Chasse-Grenier
Route 2
Lavaltrie
Comté de Berthier
Spécialité: meubles et objets québécois.

Le Coq Rouge, Enr.
839, rue Ouimet
Saint-Jovite
Comté Terrebonne
(819-425-3205)
Spécialité: meubles de pin, poterie, accessoires. Prix: $5 à $1000. Particularité: plusieurs meubles du XVIIIe siècle. Achat, commandes spéciales.

Le Gallion
113, chemin de la Gare
Piedmont
(514-227-5261)
Spécialité: fine porcelaine, argenterie. Importation de meubles français et anglais. Prix: $50 à $5000. Particularité: Le Gallion offre uniquement des antiquités de choix: meubles d'époque et porcelaine de fabricants de réputation mondiale. Achat, échange.

Le Manoir James-Towne
Route 117
Piedmont-Saint-Sauveur
(514-227-3905)
Spécialité: meubles québécois et objets d'art. Particularité: encans et évaluations.

Les Antiquités du Château, Inc.
1051, rue Notre-Dame
Lavaltrie
(514-288-4767 ou 514-586-1762)
Spécialité: achat et vente. Meubles et objets typiques du Québec.

L'Héritage Antiques
198, rue Principale
Saint-Sauveur-des-Monts
Comté Terrebonne
(514-227-3059)
Spécialité: Canadiana et importation française. Prix: $3 à $3000. Particularité: pour connaître l'inventaire détaillé de la marchandise de l'Héritage Antiques à l'arrivée de chaque nouveau container de France, il suffit d'en faire la demande. Achat, échange, commandes spéciales avec dépôt.

Marché aux Puces Blainville
693, boulevard Labelle
Blainville
Comté Terrebonne
(514-435-6489)

R. Nadon Antiquités
158, rue Principale
Saint-Janvier
(514-435-1867)

Philippe Antiques
1220, boulevard Labelle
Blainville
Comté Terrebonne
(514-435-4200)
Spécialité: meubles québécois. Particularité: rembourrage de meubles anciens et conseillers en décoration antique.

Robert Picard, Antiquaire
501, rue Notre-Dame
Route 138
Lavaltrie
(514-586-1575)
Spécialité: antiquités paysannes, tissage traditionnel.

Stanton Centre
Route 11
Sainte-Adèle-Nord
(514-229-2522)

J.-Noël Sylvestre
1511 ouest, Grande-Côte
Berthierville
Comté Berthier
(514-836-4539)
Spécialité: meubles et objets québécois.

James Towne Antiques
Route 11
Shawbridge
(514-224-4877)
Spécialité: meubles et objets typiquement québécois.

Village du Défricheur
1497, Grande Côte
Berthierville
Comté Berthier
(514-836-4539)
Spécialité: un peu de tout. Prix: $1 à $2000. Achat, réparation.

RIVE SUD ET CANTONS DE L'EST

À la Vieille Forge, Enr.
1101, Route Nationale
Saint-Césaire
Comté Iberville
(514-469-2447)
Spécialité: meubles, sculptures, outils. Prix: $2 à $1000. Achat.

Antiquaires B-7, Encanteurs
André Bessette & Fils
732, 1ère Rue
Iberville
(514-347-9419)
Particularité: encan tous les samedis au 3788, rue Sainte-Thérèse à Carignan (514-658-8839).

Antiques
(Mme Hughette Charron)
685, Bord-de-l'Eau
Saint-Denis-sur-Richelieu
(514-787-5661)
Spécialité: Canadiana. Petites pièces de pin. Artisanat.

Antiques
(Yolande Van Zuiden)
795, Pine Street
Magog
(819-843-4529)

Antiques & Handcraft
44, Main Street
Sutton
(514-538-3803)

Antiques & Things
131, Picardie
Saint-Lambert

Antiques Studio Éclair
799, rue Principale
Brome Ouest
(514-263-0482)

Antiquités
38, rue Richelieu
Saint-Charles-sur-Richelieu
(514-584-2631)
Spécialité: Quebecensia.

Antiquités Robert Auclair
487, rue Sainte-Hélène
Longueuil
(514-679-0100)
Spécialité: meubles, vaisselle, argenterie, cadres, bibelots. Particularité: intéressant pour ceux qui commencent à meubler une maison à partir de vieux meubles. Pièces attirant l'attention des spécialistes. Achat, échange.

Antiquités Marcel Bélair
Route 133
Sabrevois
(514-347-0715)

Antiquités Fort Lemoyne
19 ouest, rue Saint-Charles
Longueuil
(514-674-8731)

Antiquités Griffon
Bolton Pass Road
Knowlton
(514-243-5283)

Antiquités South Stukely, Enr.
South Stukely
(514-524-3607)

Au Vieux Fanal Antiques
Boulevard Marie-Victorin
Varennes
Spécialité: meubles et objets québécois.

Aux Mirabelles
218, chemin de la Rivière
Saint-Charles-sur-Richelieu
(514-584-2916)

Roger Boissonneault
899, Ruisseau-Nord
Saint-Mathieu, Belœil
(514-467-7965)
Spécialité: vente, achat, échange. Meubles et objets typiques du Québec.

Boucher Meubles Antiques
1359, rue Principale
Granby

Boutique d'Antiquités Plus, Enr.
1045, rue Wellington S.
Sherbrooke
(819-567-7781)

Boutique La Magdeleine
253, rue Saint-Ignace
Vieux-Laprairie
(514-659-1556)
Spécialité: meubles québécois en pin. Prix: entre $60 et $500. Achat, échange, réparation.

Boutique Le Vieux Comptoir
588, rue Saint-Charles
Boucherville
(514-655-5057)
Spécialité: courtepointes, objets anciens de décoration. Prix: $5 à $500. Particularité: en plus des antiquités, la Boutique Le Vieux Comptoir offre des reproductions de chaises québécoises. Achat, commandes spéciales.

Groyn Brown's Antiques
R.R.2, Knowlton Road
Brome Ouest
(514-263-2387)

Canada East Antiques
R.R.2
Brigham
Comté de Brome
(514-263-1089)
Spécialité: achat et vente, meubles et objets du Québec.

China & Antiques
176, Queen Street
Lennoxville
(819-567-7510)

Comptoir Économique
1666 ouest, rue Galt
Sherbrooke
(819-567-1567)
Spécialité: meubles d'occasion et meubles québécois. Prix: $5 à $500. Particularité: quelques pièces rares en pin. Achat, échange, réparation de meubles et petits objets.

Coutu R., Antiquaire
161, rue Richelieu
Saint-Charles-sur-Richelieu
(514-584-2631)

Dumoulin's Antiques
Route 50, rue Pleasant
Ayer's Cliff
Comté de Stanstead
(819-838-4925)
Spécialité: meubles du début de la colonie et objets primitifs. Prix: $1 à $1500. Particularité: de nombreuses pièces exclusives de collection. Achat, échange, commandes spéciales.

Dumoulin's Trading Post
Route 5
Stanstead
Comté Stanstead
(819-838-5949)
Spécialité: verres et petits objets. Prix: $5 à $75. Achat, échange, réparations, commandes spéciales.

Dust and Cobwebs Shop
Stanstead
(819-876-2213)

Normand Ferrie-Leclerc
Sainte-Angèle-de-Laval
Comté Nicolet
(514-222-5630)

Fuller's Antiques
Bolton Pass Road
Knowlton
(514-243-6686)
Spécialité: meubles et objets québécois en pin.

Jean-Guy Gélineau, Encanteur
1330, rue Granby
Bromont
(514-534-2414)
Spécialité: les meubles canadiens et victoriens. Prix: $5 à $3000. Particularité: encan tous les mardis soirs. Achat, échange.

Gibson Richard
South Stukely
Eastman
(514-297-5519)

Goyette Antiques
Rue Campbell
Saint-Sébastien
Comté Iberville
(514-244-3752)
et
533, route 133
Sabrevois
(514-345-4039)

Jean & Jack Hawley Antiques
7, Western Avenue
Sutton
(514-538-2055)

Mabel Kapp Antiques
Route 133
Sabrevois
(514-347-6374)
Spécialité: meubles en pin authentiquement québécois, choix intéressant d'objets de porcelaine et de verre.

Kebecencia
Bord-de-l'Eau
Saint-Charles-sur-Richelieu

La Boîte à Sel
227, boulevard Richelieu
Saint-Mathias
(514-658-5561)

La Boo-tik Handcraft & Antiques
Angle Queen et Belvedere
Lennoxville
(819-569-2627)
Spécialité: meubles de pin, verres et poterie. Prix: $5 à $500. Achat, commandes spéciales.

Lacaille Antiques
108, rue des Trinitaires
Saint-Basile-le-Grand
(514-653-0951)

Lacaille et Lapointe, Inc.
Centre commercial Laurier
Saint-Lambert
(514-672-9411)

La Gueule du Cheval Antiques
Ayer's Cliff
Comté Stanstead
(514-838-5095)

Lionel Langlois
790, rue Crevier
Saint-Hyacinthe
(514-773-4780)
Spécialité: meubles usagés et anciens.

L'Antiquaire
408, rue Victoria
Saint-Lambert
(514-671-1383)

La Poule d'Eau, Enr.
Saint-Marc-sur-Richelieu
Comté Verchères
(514-584-3238)
Spécialité: meubles canadiens et français. Prix: $1 à $1000. Particularité: quelques objets typiquement québécois et exclusifs.

Arlette Larue Antiquités et Artisanat
246, boulevard Laurier
Belœil
(514-464-3867)
Spécialité: collection de très beaux meubles typiquement québécois.

La Trouvaille, Enr.
3633, Chenal du Moine
Sainte-Anne-de-Sorel
Comté Richelieu
(514-742-2179)
Spécialité: diverses antiquités et différents styles. Prix: $5 à $800. Achat, échange, commandes spéciales.

Le Bastion de Laprairie
144, chemin Saint-Jean
Vieux-Laprairie
(514-659-9287)

Le Berlot, Enr.
487, Bas-de-la-Côte
Saint-Antoine-sur-Richelieu
(514-787-2445)

Lequerme F.
Route 35
Philipsburg
Comté de Missisquoi
(514-248-2950)

Le Shed Antiques
Academy Road
Sutton
(514-538-2151)

Les Trouvailles du Grenier
380, rue Saint-Ignace
Vieux-Laprairie
Comté Saint-Jean
(514-659-0903)
Spécialité: armoires, coffres et tables en pin en plus d'une foule de menus articles. Prix: $1 à $2000. Achat, échange, commandes spéciales.

Maison 1850
386, rue Principale
Dunham
Comté Missisquoi
(514-295-2659)
Spécialité: meubles et accessoires canadiens restaurés ou dans leur couleur originale. Prix: $3 à $2000. Achat, réparation, commandes spéciales.

Marcel Antiques
5184, chemin Chambly
Saint-Hubert
(514-676-6415)

Marché aux Puces
1557, chemin Saint-Paul d'Abbotsford
Granby

Marché aux Puces Garcia
1668, rue Principale
Sainte-Julie
Comté Verchères
(514-649-1211)

Marché aux Puces Charles Lévesque
545, Sir-Wilfrid-Laurier
Mont-Saint-Hilaire

Maryse Antiquités
1322, boulevard Jean-de-Brébeuf
Drummondville-Sud
(819-478-0247)

Louis-Paul Nolet, Antiquaire
Chemin Adamsville
Bromont
(514-727-6271) Montréal
(514-534-2337) Bromont
Spécialité: meubles en pin, pièces de collection.

Odds & Ends Antiques
Brome
(514-243-6907)

Old Barn Antiques
Route 104 Sud
Brome
(514-243-5992)

Jos Ouellette
399, rue Alexandre
Sherbrooke
(819-567-7218)

Stog Hill Antiques & Oddments
Spencer Road
Abercorn
(514-538-5420)

The Lamplighter
Route 139
West Brome
Cowansville
(514-263-2422)

The Powder Horn Antiques
17, Turner Drive
Beebe
Comté Stanstead
(819-876-7364)

Spécialité: meubles et objets insolites. Prix: $2 à $800. Particularité: le magasin est décoré avec des meubles et des objets canadiens. Achat, échange, commandes spéciales.

Village Antique Shoppe
Sortie 52, Bondville Road
Knowlton
(514-243-5823)

Spécialité: achat et vente, meubles et objets québécois.

Village Antiques
Saint-Armand
Comté Missisquoi
(514-248-9014)

Spécialité: meubles canadiens et verres.

White Wagon Antiques
Route 104
Brome
(819-243-6064 ou 514-488-3901)

Spécialité: meubles de pin et objets québécois. Verre et cuivre.

BIBLIOGRAPHIE

BARBEAU, MARIUS: *Deux cents ans d'orfèvrerie chez nous,* Mémoire S.R.C., vol 33, Sec. I. 1939, pp. 183-191.

BARBEAU, MARIUS: *Maîtres-artisans de chez nous,* Le Zodiaque, Montréal, 1942.

BARBEAU, MARIUS: *Potiers Canadiens,* in *Technique,* septembre 1948.

BARBEAU, MARIUS: *J'ai vu Québec,* Garneau, 1957.

BÉDARD, HÉLÈNE: *Maisons et églises du Québec,* Ministère des Affaires culturelles, collection *Civilisation du Québec.*

BERGER, ROBERT: *All about antiquing and restoring furniture,* Hawthorn books inc., N.Y.

BIRD, DOUGLAS et MARION, CORKE, CHARLES: *A century of antique Canadian Glass Fruit jars,* Douglas Bird, London, Ont., 1970.

BJERKOE, ETHELL H.: *The Cabinet makers of America* N.Y. Garden City, 1957.

BOISSON, J., *L'Industrie du meuble,* Dunod, Paris, 1949.

BOULANGER, GISÈLE: *L'Art de reconnaître les styles,* Hachette, Paris, 1960.

BOULANGER, GISÈLE: *L'Art de reconnaître les meubles régionaux,* Hachette, Paris, 1963.

DECK, DOREEN: *The Book of bottle collecting,* Hanbyn, London.

DONALD, BLOKE WEBSTER: *The Book of Canadian Antiques,* Mc Graw-Hill, Ryerson limited.

DOYON, MADELEINE: *Jeu, jouets et divertissements de la Beauce,* (Les archives de folklore), Université Laval Québec, vol. 3 1948, pp. 159-211.

DREPPERD, CARL: *A.B.C. of old glass,* Award books, Tandem books, London.

FAUTEUX, J. N.: *Essai sur l'industrie au Canada sous le régime français,* Québec, 1927, 2 vol.

FREEMAN, LARRY: *How to restore antiques,* Century House, New York, 1960.

GAUMOND, MICHEL: *La Place Royale, ses maisons, ses habitants,* Ministère des Affaires culturelles, Collection *Civilisation du Québec.*

GAUMOND, MICHEL: *La Poterie de Cap Rouge,* Ministère des Affaires culturelles, Éditeur officiel du Québec, 1972.

GROTZ, GEORGES: *Instant furniture refinishing and other crafty practices,* Dolphin books, Doubleday J. Company inc., Garden City, New York.

HAVARD, H.: *Dictionnaire de l'ameublement et de la décoration depuis le XIIIe siècle jusqu'à nos jours,* Quantin, Paris, 1980, 4 vol.

JEANNEAU, GUILLAUME: *Dictionnaire des styles,* Larousse, Paris, 1966.

LAFRENIÈRE, MICHEL et GAGNON, FRANÇOIS: *À la découverte du passé,* Ministère des Affaires culturelles, Coll. *Civilisation du Québec,* Québec, 1971.

LAMBART, HELEN H.: *Two centuries of Ceramics in Richelieu Valley,* National Museum of Canada, Ottawa, 1970.

LAMY, SUZANNE et LAURENT: *La Renaissance des métiers d'art au Canada français,* Ministère des Affaires culturelles, Québec, 1967.

LANDRY, L.: *Encyclopédie du Québec,* Éditions de l'Homme.

LANGDON, JOHN EMERSON: *Canadian Silversmiths & Their Marks 1667-1867,* Vermont, 1960.

LANGDON, JOHN EMERSON: *Guide to Marks on Early Canadian Silver,* Ryerson, Toronto, 1968.

LE CORRE, ROBERT L.: *Comment restaurer les meubles antiques,* Éditions du Renouveau Pédagogique, Montréal, 1970.

LESSARD, MICHEL et MARQUIS, HUGUETTE: *Encyclopédie des antiquités du Québec,* Éditions de l'Homme, Montréal, 1971.

LESSARD, MICHEL et MARQUIS, HUGUETTE: *Encyclopédie de la maison québécoise,* Éditions de l'Homme, Montréal, 1972.

MARTIN, PAUL-LOUIS: *Chaises et chaisiers québécois,* in *Ethnologie québécoise I, Les Cahiers du Québec,* Hurtubise HMH, 1972. pp 140-158.

MARTIN, PAUL-LOUIS: *La Berçante québécoise,* Les Éditions du Boréal Express, Montréal 1973.

MASSICOTTE, ÉDOUARD-ZOTIQUE: *L'Ameublement à Montréal aux XVIIe et XVIIIe siècles,* in *Bulletin des recherches historiques,* 1942, no. 2 pp. 33-42; no. 3 pp. 75-86; no. 7 pp. 202-205.

MASSICOTTE, ÉDOUARD-ZOTIQUE: *Cadrans, sabliers, horloges, montres et pendules sous le régime français,* in *Bulletin des recherches historiques.*

MAUMENE, ALBERT: *Les Beaux Meubles régionaux des provinces de France,* Ch. Moreau, Paris, 1952.

MUSÉE DU QUÉBEC: *Peinture traditionnelle du Québec, Ministère des Affaires culturelles, Québec, 1967.*

MUSÉE DU QUÉBEC: *Sculpture traditionnelle du Québec,* Ministère des Affaires culturelles, Québec, 1957.

ORMSBU, THOMAS H.: *Care and repair of Antiques,* New York, 1949.

PALARDY, JEAN: *Les Meubles anciens du Canada Français,* A.M.G. Paris, 1963.

PIERCE, EDITH CHOWN: *Canadian Glass: A Footnote to history,* Ryerson, Toronto, 1958.

RHEIMS, MAURICE: *La Vie étrange des objets,* Plon, Paris, 1959.

ROUVEYRE, E.: *Analyse et compréhension des œuvres et objets d'art,* Eugène Roy, Paris, 1924.

RUSSELL, LORIS S. A.: *Heritage of light; lamp and lighting in Early Canadian Home,* University of Toronto Press, Toronto, 1968.

SÉGUIN, ROBERT-LIONEL: *L'Équipement de la ferme canadienne aux XVIIe et XVIIIe siècles,* Ducharme, Montréal, 1959.

SÉGUIN, ROBERT-LIONEL: *Les Moules du Québec,* Musée National du Canada, Ottawa. Bulletin no 188 no. 1 de la série des Bulletins d'Histoire, 1963.

SÉGUIN, ROBERT-LIONEL: *Le Poêle en Nouvelle-France,* in *Cahier des dix,* no. 33, Montréal 1968, pp. 157-170.

SÉGUIN, ROBERT-LIONEL: *Les Jouets anciens du Québec,* Leméac, Ottawa, 1969.

SPENDLOVE, F. ST-GEORGES: *The Furniture of french Canada,* in *The Connaisseur Year Book* 1954.

STEVENS, GÉRARD: *Early canadian glass,* Ryerson Press, Toronto, 1969.

STEVENS, GÉRARD: *A Canadian Attic,* Mc Graw-Hill, Ryerson limited.

TRAQUAIS, RAMSAY: *The Old Silver of Québec,* Mac Millan, Toronto 1940.

TRUDEL, JEAN: *À l'enseigne des orfèvres du Québec,* in *Culture vivante,* Ministère des Affaires culturelles no. 10 août 1968. pp. 9-13. Québec.

UNITT, DORIS and PETER, UNITT'S: *Canadian Silver silverplate & related glass,* Clock House, Peterborough, 1970.

UNITT, DORIS and PETER, UNITT'S: *Bottles in Canada,* Clock House Publication, Peterborough.

UNITT, DORIS and PETER, UNITT'S: *Canadians Price Guide,* Peterborough, Clock house, First Edition august 1968 et First Edition book november 5, 1973.

VERLET, PIERRE: *Les Meubles français du XVIIIe siècle,* I-Menuiserie; 2-Ébénisterie. P.U.F. Paris. 1956, 2 vol. Coll. *L'Oeil du Connaisseur.*

VIENNEAU, AZOR: *The Bottle collector,* Peterix Press, Halifax, 1968.

YATES, RAYMOND: *Antique Collector's Manual Price Guide and Data Book,* New-York, 1952.

Distributeur exclusif pour le Canada:
LES NOUVELLES MESSAGERIES INTERNATIONALES
DU LIVRE INC.
4435, boul. des Grandes Prairies, Saint-Léonard, Québec H1R 3N4

IMPRIMÉ AU QUÉBEC